DU MÊME AUTEUR

Aux Éditions Gallimard

FEMMES, *roman*, 1983 (Folio n° 1620).

PORTRAIT DU JOUEUR, *roman*, 1985 (Folio n° 1786).

THÉORIE DES EXCEPTIONS, 1986 (Folio Essais n° 28).

PARADIS II, *roman*, 1986 (Folio n° 2759).

LE CŒUR ABSOLU, *roman*, 1987 (Folio n° 2013).

LES FOLIES FRANÇAISES, *roman*, 1988 (Folio n° 2201).

LE LYS D'OR, *roman*, 1989 (Folio n° 2279).

LA FÊTE À VENISE, *roman*, 1991 (Folio n° 2463).

IMPROVISATIONS, *essai*, 1991 (Folio Essais n° 165).

LE RIRE DE ROME, *entretiens avec Frans De Haes*, 1992 (« L'Infini »).

LE SECRET, *roman*, 1993 (Folio n° 2687).

LA GUERRE DU GOÛT, *essai*, 1994 (Folio n° 2880).

SADE CONTRE L'ÊTRE SUPRÊME *précédé de* SADE DANS LE TEMPS (Quai Voltaire, 1989), 1996.

STUDIO, *roman*, 1997 (Folio n° 3168).

PASSION FIXE, *roman*, 2000 (Folio n° 3566).

ÉLOGE DE L'INFINI, *essai*, 2001 (Folio n° 3806).

LIBERTÉ DU XVIIIème, *roman*, 2002 (Folio 2 € n° 3756).

L'ÉTOILE DES AMANTS, *roman*, 2002 (Folio n° 4120).

POKER. *Entretiens avec la revue* Ligne de risque, coll. L'Infini, 2005.

UNE VIE DIVINE, *roman*, 2006 (Folio n° 4533).

LES VOYAGEURS DU TEMPS, *roman*, 2009 (Folio n° 5182).

DISCOURS PARFAIT, *essai*, 2010 (Folio n° 5344).

TRÉSOR D'AMOUR, *roman*, 2011 (Folio n° 5485).

L'ÉCLAIRCIE, *roman*, 2012 (Folio n° 5605).

FUGUES, *essai*, 2012 (Folio n° 5697).

Suite des œuvres de Philippe Sollers en fin de volume

MÉDIUM

PHILIPPE SOLLERS

MÉDIUM

roman

nrf

GALLIMARD

Il a été tiré de l'édition originale de cet ouvrage
cinquante exemplaires sur vélin pur chiffon
des papeteries Malmenayde numérotés de 1 *à* 50.

« Qui aurait trouvé le secret de se réjouir du bien sans se fâcher du mal contraire, aurait trouvé le point. C'est le mouvement perpétuel. »

PASCAL

RIVIERA

Eh bien, la magie continue.

Ce que je revois là, maintenant, c'est *La Riviera*, ce petit restaurant avec terrasse, sur les quais de Venise, du côté de la gare maritime. Une dizaine de scènes surgissent à la fois, soleil, parasol bleu, grands paquebots à l'ancre, keep clear of propellers. L'ancien propriétaire me salue chaque fois d'un respectueux et pompeux « professore », en sachant déjà que je vais lui demander des pâtes à la bolognaise et une bouteille d'eau minérale, avant des cafés. Il est deux heures de l'après-midi, il fait chaud, je suis avec une femme que j'aime. On se tait beaucoup, le quartier est tranquille, les mouettes sont groupées sur les larges pontons de bois brun. Je rêve ? Non, ma main serre la nappe jaune, cette nappe est là, sous mes doigts.

Le deuxième propriétaire du restaurant est chinois. Plus de « professore », une désinvolture ricanante. C'est peut-être un descendant du premier bateau chinois que j'ai vu entrer ici, au début des années 1970, couvert de drapeaux rouges, avec des haut-parleurs vociférants, appelant le prolétariat local à l'insurrection révolutionnaire, à la grande stupéfaction de l'ex-parti communiste italien logé sur la rive, traité de « révisionniste ». Aucun doute, l'ennemi démasqué était ce parti traître, ce gang de serviteurs des tsars russes pourris, au service, comme toute la gauche, des Américains et de la finance internationale. Beaucoup de bruit pour rien, débarquement de jeunes marins en veste mao, découvrant, avec bonne humeur et étonnement, les pigeons de Venise.

Le Chinois d'aujourd'hui est new look, parfaitement à l'aise et acrobatique dans ses fonctions de nouveau patron. Ses pâtes ne sont pas bonnes, le tour de main n'y est pas, surtout pour la carbonara. Ses employés ont l'air contraints, exaspérés, surtout les femmes. C'est un petit chef de Shanghai, qui rêve d'aller plus vite et plus haut. Pourquoi pas dans le Bordelais, où les Chinois font maintenant des folies pour leur nouvelle passion du vin, achetant des châteaux, d'un château l'autre. Pourquoi pas, bientôt, dans les marais salants de l'île de Ré, en face de chez moi, là-bas, en train d'étudier la fleur de sel pour la transvaser chez eux. L'Histoire va vite, de plus en plus vite, et on sait, depuis longtemps, que les Chinois voient l'heure dans l'œil des chats.

Il n'a pas tenu longtemps ici, le Chinois, un vieux de la vieille, italien, a repris sa place. Et me voilà de nouveau « professore » à *La Riviera.* J'ai loué un petit appartement tout près, bien caché dans le quartier populaire. Les touristes ne viennent pas jusque-là, pas de magasins, rien à voir, et s'ils s'aventurent aussi loin de la place Saint-Marc, ils hésitent à peine, font demi-tour et repartent pour se retrouver dans leur affairement de foule.

Bon, volets à demi fermés, au troisième étage, et, comme d'habitude, stylo, cahier, papier satiné, couverture pelliculée orange, « sans utilisation de composés dangereux pour l'environnement ». Boule terrestre prise entre deux mains, vignette bleue et blanche, deux lions britanniques affrontés, « Oxford agit pour la planète ». Je sais : je devrais, pour être lu, écrire en anglais à l'ordinateur, oublier la plume et l'encre, mais je suis en Italie, naturalisé « professore », surnom venu de loin jusqu'à moi, parce que je suis silencieux, toujours avec un ou deux livres, et, bien entendu, français.

Les Italiens n'aiment pas les Français, sauf s'ils sont seuls, l'air pensif et mutique. Ce vieil Italien doit avoir des souvenirs confus de la grande Histoire. Les Français, soyons sérieux, c'est la Révolution, Bonaparte, une armée invincible, *La Chartreuse de Parme*, l'athéisme, la liberté, l'égalité. Enfin, *c'était*, mais il en reste des traces. La jeune armée d'Italie, en passant, a fait des enfants ici.

Des enfants, là où j'habite, devant une petite place bordée de platanes, il y en a plein, avec leurs ballons maniaques, foot et cris sans arrêt, télé dans leurs têtes. Je ferme les volets, je vais à l'autre bout de l'appartement, je les entends à peine, et ils ne me dérangent pas, au contraire. J'aime leur vivant désordre gratuit.

J'ai demandé en ville s'il y avait des soins de massage à domicile. Mais oui, et la voici : c'est Ada. Elle vient deux fois par semaine, en fin d'après-midi, à 19 h 30. Elle a 40 ans, c'est une petite brune aux yeux bleus, une Piémontaise un peu forte, rieuse, puissante, légère. Elle connaît les corps, elle a du génie. Des pieds à la nuque, recto, verso, elle s'approprie tout, pénètre tout, tout de suite. Je m'offre à elle, je ne lui déplais pas, au bout de la troisième séance elle m'embrasse et se plante sur moi, et voilà. C'est un peu cher, mais j'ai pris la précaution d'augmenter son prix. Elle est très experte, un vrai médium, c'est le massage complet ni vu ni connu, rien ne s'est passé, fougue et délicatesse. Elle se fait plaisir, et on parle très peu, c'est mieux.

Je descends vers 21 heures, omelette ou friture de poissons, vin rouge. La plupart du temps, je suis le seul client du soleil couchant. Mais qui est cette vive jeune fille qui aide son grand-père veuf à ranger les chaises et les tables ? Mince, brune aux yeux noirs, gracieuse dans le moindre geste, elle sourit au « professore » qui va aller marcher longtemps dans la nuit. Le vieux l'appelle, j'entends « Lotta », mais c'est « Loretta ». Bon dieu, Notre-Dame-de-Lorette à Venise ! C'est le roman, que voulez-vous, c'est comme ça.

Notre-Dame-de-Lorette ne se trouve pas du tout à Venise, mais dans les Marches, et c'est là, selon une légende cocasse, que la maison de la Vierge Marie, « la Santa Casa », a été transportée par des anges, depuis Nazareth via la Dalmatie, au-dessus de l'Adriatique. Dans le genre transport aérien en soucoupe volante, il est difficile de faire mieux. Marie monte au ciel par son Assomption, mais choisit l'Italie pour y installer sa maison. Inutile de dire que l'endroit est l'objet de pèlerinages, avec basilique catholique du 16e siècle. Le match planétaire, jésuites contre Luther et Calvin, est déjà lancé, et il dure encore, quoi qu'on dise.

En 1580 arrive un visiteur insolite : Montaigne lui-même, qui, venant de Rome où il est allé baiser la mule de Grégoire XIII (« le Grand », l'inventeur du calendrier actuel), sort de ses bagages un *tableau* qu'il veut accrocher, comme un ex-voto, dans ce lieu de crédulité religieuse. Montaigne ? Impossible ! Mais si, et il décrit son offrande : « Un tableau dans lequel il y a quatre figures d'argent attachées : celle de Notre-Dame, la mienne, celle de ma femme, celle de ma fille... Nous fîmes dans cette chapelle nos pâques, ce qui ne se permet pas à tous. Un jésuite allemand m'y dit la messe et me donna à communier. »

Montaigne à genoux devant un jésuite *allemand*! La scène m'a toujours fait rire, d'autant plus que les commentateurs de Montaigne, tous plus ou moins universitaires, évitent soigneusement d'en parler. Montaigne et ses trois femmes, la Vierge, sa femme et sa fille ! Communié par un jésuite ! Personne, je le jure, ne m'a jamais signalé, dans ma jeunesse, au lycée Montaigne de Bordeaux, ce très étrange épisode dans l'existence d'un humaniste de premier plan. Gide a beaucoup parlé de Montaigne, mais sur Notre-Dame-de-Lorette, sauf erreur de ma part, motus.

Et il insiste, Montaigne : les curés ne veulent pas d'argent, il est obligé de forcer la note pour leur en donner. C'est gratuit. Faut-il qu'il ait été dégoûté des « innovations calviniennes » (*Calvin,* dans la capitale du *vin*!) pour se livrer à une telle cérémonie et la raconter dans son *Journal de voyage*! On dirait un rituel d'exorcisme. Il n'y a pas si longtemps, un président de la République française s'est fait photographier officiellement en train de lire *Les Essais* devant une bibliothèque, photo exposée ensuite dans toutes les administrations et les commissariats de police. L'Histoire est plus comique qu'on ne croit, et son successeur socialiste, petit homme tenace et ironique, très « Troisième République », ne lit jamais aucun livre. On sait que Montaigne, à Rome, voulait surtout vérifier que les Grecs et les Latins de l'Antiquité étaient protégés par le pape. Ils l'étaient. Essayez d'effacer le grec et le latin classiques en les traitant de « païens ». Ça s'est fait pendant des siècles, et ça recommence. On verra les dégâts.

ATHÉISME

Loretta à *La Riviera* ! On parle un peu le matin quand je lis les journaux dehors, et je comprends vite qu'il n'est pas question, du moins pour l'instant, qu'elle passe sa vie dans un petit restaurant de quartier avec son grand-père. Son père a disparu, sa mère travaille dans une banque à Milan, mais, pour elle, il y a mieux à faire : actrice, par exemple (elle est très jolie), ou, en tout cas, *artiste*. Est-ce que j'aime l'art contemporain, dont on peut admirer la laideur à la pointe de la Douane de mer ? Mais oui, beaucoup, beaucoup (ne pas l'effrayer). Est-ce que je connais moi-même des *artistes* ? Oui, oui, bien sûr, mais je ne les vois pas souvent. Le monsieur pensif ne va jamais au Lido ? Non, pas le temps. Ça ne fait rien, elle est déjà à mon bras, Loretta, on ne manque pas une Biennale. Le « professore » est peut-être exploitable, il faudrait qu'il se bouge un peu. Est-ce qu'elle connaît l'histoire de Notre-Dame-de-Lorette ? Très vaguement, ce prénom lui a été donné par sa grand-mère maternelle. Vieux monde, superstition dépassée, n'est-ce pas, Professore ? Je hoche la tête, pour montrer mon approbation. À l'intérieur du restaurant, la télé reste sans cesse allumée. On lui jette à peine un coup d'œil, il suffit qu'elle soit là, sans quoi rien ne serait là.

Une « lorette », dans le quartier de Notre-Dame-de-Lorette, à Paris, dans le 9e arrondissement, était, paraît-il, une prostituée (ces drôles de vierges couturières étaient fréquentes), ou plutôt, comme nous le dit pudiquement le dictionnaire, « une jeune femme élégante et de mœurs faciles au début du 19e siècle ». Comme ces « mœurs faciles » semblent loin ! Comme elles font rêver ! Un peintre comme Manet, aucun doute, emmenait des lorettes dans son atelier. Je ne vais pas raconter ça à ma Loretta... Loretta, Lotta, Laure, Laurette... Et voici un autre fantôme : Lotte, la fille du menuisier Zimmer, qui a accompagné Hölderlin dans sa tour et son agonie. La nuit, avant qu'il s'éteigne, sans douleur mais très angoissé, elle est restée avec lui jusqu'à la fin. Le soir même, le 7 juin 1843, il avait encore joué sur son épinette. On ne sait pas ce qu'elle est devenue, cette Lotte sublime et compassionnelle. « J'ai essayé de le tranquilliser, et je n'ai plus quitté son chevet. »

Après tout, pourquoi ne pas disparaître ici, tranquillement, dans l'ombre ? J'ai ce qu'il faut comme produit, crise cardiaque, petite buée dans les médias, et basta. Plus d'informations désinformantes, plus de bavardages, plus de mécanique des gestes. Supposons que le type se rate : il a juste le temps de lire ce qu'on dit de lui, et il se redétruit aussi sec. *Digital*, doigté, petite vie archivée et numérisée. Délicat néant, je t'aime.

Ada, mon ardeur, vient le lundi et le vendredi. Elle apporte ses huiles et ses crèmes. Je ne sais pas si elle a gardé un vague souvenir de son éducation religieuse, mais enfin elle me ressuscite, elle m'*oint*. Je comprends mieux, grâce à elle, la crise de jalousie de Judas, le trésorier de la secte, voyant son gourou chéri dépensant un argent déraisonnable avec une ex-prostituée qui lui verse un flacon de parfum très cher sur la tête. De toute évidence, le gourou jouit. Judas est de gauche : il pense qu'on aurait pu donner cet argent aux pauvres (c'est du moins ce qu'il dit, alors qu'en réalité il est déjà furieux de la préférence physique marquée du gourou pour le beau Jean, un homme ça pourrait aller, mais une femme, le gourou exagère).

Et que dit-il, le gourou ? Des pauvres, vous en aurez toujours (là, on voit bien qu'il est de droite), laissez cette femme tranquille, elle ne fait qu'anticiper ma mort et mon ensevelissement. Judas est exaspéré, on l'accusera plus tard de voler dans la caisse, mais c'est surtout son désir pour son Maître, publiquement bafoué, qui va le conduire à la trahison. Si vous l'aviez vu se pâmer sous les doigts de cette traînée ! Son visage illuminé de plaisir pervers ! Il ne vaut pas cher, ce pseudo-Dieu, 30 dollars, pas plus. On va le livrer au Syndicat pour travail au noir et recrutement gratuit.

Est-ce ma faute si Dieu ne désire pas Judas mais Jean ? Si Ada me préfère peut-être à ses autres clients ? Quoi qu'il en soit, c'est bien mon futur cadavre qu'elle manipule avec art. Voyons l'enchaînement des scènes : le Fils divin, à Béthanie, vient de ressusciter son ami Lazare, gros effet médiatique, panique des télévisions. Il s'arrête donc pour fêter ça, Marthe et Marie sont là, Lazare, à peine sorti de son tombeau et de ses bandelettes, est en pleine forme. Marie parfume ce dieu évident, *essuie ses pieds avec ses cheveux*, scandale. Judas, écœuré, va toucher ses 30 dollars à la Tour de Contrôle, et comprend trop tard qu'il aurait pu demander 30 milliards et peut-être même 30 000 milliards. Se faire niquer par une pute ! Comment aurait-il pu penser que la prostitution, par moments, est un art sacré ? C'est trop dur à supporter, il jette ses 30 dollars à la tête du Syndicat, se pend, se vide par le bas, et devient aussitôt célèbre, dans les siècles des siècles, comme le grand héros négatif du film.

On notera que ce nouveau dieu à miracles s'était déjà fait remarquer en renvoyant, sans rien dire, mais en écrivant on ne sait trop quoi dans la poussière, une femme adultère sur le point d'être lapidée. Au fond, c'était un athée sexuel complet, péché particulièrement grave à toutes les époques. Il a été condamné.

PARIS-VENISE

On me croit à Paris, je suis à Venise, une heure et demie d'avion, c'est vite fait, et, depuis dix ans, personne ne sait où j'habite. À Paris, mon corps apparaît quand il faut, où il faut. Je parle, je trie, je réponds, je raisonne. En même temps, je m'entends réciter, une fois de plus :

« Vois sur ces canaux
Dormir ces vaisseaux
Dont l'humeur est vagabonde ;
C'est pour assouvir
Ton moindre désir
Qu'ils viennent du bout du monde. »

Penser aux bateaux, la nuit, *m'assouvit.*

Il y a une magie médiumnique de Venise. On la voit sans la voir, on l'entend sans l'entendre, elle disparaît parfois pendant des semaines ou des mois, et soudain, dans une clarté imprévue, *elle est là.* On la respire, elle fait signe, elle fait flamber les toits et les mâts, l'espérance *pour rien* recommence. Cette fois la déesse a pour nom Riviera, Ada, Loretta. Elle est très vaudou, la déesse, mais sans crise. Elle prend possession, en douce, des lieux et des personnages. Les yeux brillent, les gestes sont suspendus, quelque chose d'autre imprègne l'air, le rassure. C'est une étoile filante en plein jour.

J'entends le vieux crier « Lo! », et elle se retourne. Trois secondes de grâce jeune et sans âge, elle semble flotter sur une prairie. Ada, quand on se retrouve, me voit nu comme personne ne m'a jamais vu nu, il n'y a d'ailleurs pas de quoi se vanter avec ce corps qui pèse et qui s'use. Mais, sous ses mains, il refleurit, et, à un moment précis, vibration interne, *elle me cueille.* Pas besoin de mots pour cela, ses doigts parlent une langue spéciale, transmise, on ne sait comment, à travers le temps. On est en Italie, à Venise, à Pompéi, en Égypte ou dans le Caucase. Dire que ma colonne vertébrale parlait cette langue, et que je ne le savais pas.

Loretta passe en courant avec des amis. Elle m'envoie un baiser de la main, monte dans une barque, et disparaît dans la nuit. Elle vient faire le ménage chez moi deux fois par semaine, elle ne connaît pas Ada, et serait très étonnée d'apprendre notre liaison de massage. Étonnée? Pas sûr. Je l'intrigue, je peux représenter une figure paternelle plausible, elle doit rêver un peu à l'intimité énigmatique de ce « professore » sans activité visible. Elle ne voit de moi qu'une pile de livres, pas d'ordinateur, des cahiers remplis d'une petite écriture bleue. J'amène maintenant mon encre, on n'en trouve plus dans les environs, le stylo à pompe est lui-même devenu une rareté préhistorique, et remplir le mien est toujours pour moi une sorte de transfusion. Mieux qu'à la coke (et pourtant), je me shoote au sang et à l'encre. Difficile d'être plus décalé et anachronique. Et comme je dors beaucoup dans l'après-midi, et qu'on peut voir ma lumière allumée tard dans la nuit (quand elle rentre de ses virées en ville), elle doit se demander ce que fabrique ce dinosaure dans son antre. Il sait des choses, il a sûrement eu une vie mouvementée, des histoires malheureuses de femmes, bien qu'il n'ait pas l'air déprimé ni de s'ennuyer. Homo ? Non, j'ai un nez pour ça, je vois comme il me regarde. Il boit peu, même s'il y a, sur sa commode, une bouteille de whisky largement entamée. De l'eau minérale dans le frigo, des bières. On lui lave et repasse son linge, il est propre, il est content quand tout est bien fait (mais il ne faut pas toucher à sa table). Que veut finalement un homme ? Lo, déjà désabusée, le sait : qu'on s'occupe de son linge. Rien de plus ? On dirait. Celui-là va au restaurant, mange peu, et on ne l'imagine pas faire la vaisselle ni repasser ses chemises.

Est-ce qu'il regarde la télé, écoute la radio, consulte le Net, envoie ou reçoit des messages sur son portable ? Sans doute, mais c'est la lumière encore allumée vers trois heures du matin qui est bizarre. En tout cas, il lit attentivement les journaux. Il déjeune rapidement avec un ou deux livres, il aime le soleil et le mur rouge chauffé derrière lui, il ferme longuement les yeux comme pour boire la lumière avec son visage. Toujours la même table à droite, près des bateaux. C'est le professeur de *La Riviera*, que voulez-vous, une curiosité dans son genre.

Je me garde bien de faire la moindre avance équivoque à Loretta, mais je sens que cette profusion de calme attentif l'agace. Nos conversations sur l'art contemporain ont tourné court. Je ne m'intéresse pas à la vraie vie, alors? Je n'écris pas pour le cinéma? Dommage.

Elle m'a vu entrer dans une église, Lo, à San Sebastiano, le temple de Véronèse qui a peint tout l'intérieur et s'est fait enterrer dans la sacristie. « Vous aimez les églises ? – Ici, oui. – Pourquoi ? – Les vieux peintres. Ils prennent de plus en plus de valeur. »

Je ne crois pas que Loretta pourrait imaginer que j'allume un cierge pour ce génie bizarre en train de respirer partout, des panneaux de l'orgue au plafond, des murs jusqu'à sa tombe. Il a suivi son dieu, celui-là, et toutes les messes le disent. Si j'étais peintre, j'en serais déjà à mon centième fusain d'Ada et de Loretta. Je les vois en saintes pâmées, en anges, en tourbillons d'ailes, bras et épaules d'Ada, cambrure svelte de Loretta. Elles n'ont pas la moindre idée (mais qui sait?) de leur nature céleste. Le ciel est bleu, comme Loretta est en bleu. Ada est en noir, comme la nuit est en noir.

Elle connaît mon corps mieux que moi, Ada, pieds, jambes, cuisses, sexe, bras, mains, colonne vertébrale, nuque. Elle est contente de m'arracher un spasme, et elle continue, en plus profond, dans mon demi-sommeil. Elle m'embrasse par petites touches un peu partout, pointes des seins, doigts, fesses, paupières, oreilles. Je suis devenu son bébé, qui subit avec joie la séduction précoce de sa peau satinée. Elle a déjà deux filles, mais la voici mère d'un homme sans doute encombrant, mais ramené à une poupée d'enfance. J'ai dix ans, cinq ans, un an, six mois, un mois, trois jours, je retraverse ma vie grâce à elle, squelette et rivière enrobée de temps. On forme une très belle *Pietà* dans le crépuscule. Je suis mort, elle est ma mère restée jeune comme à ma naissance, elle me porte sur ses genoux. Mais elle est en même temps ma fille puisque je suis son père qui est aussi son fils. Elle me tourne, me retourne, me parcourt en volutes, insiste, trouve des nœuds à dénouer, des résistances à éparpiller, un fluide à faire circuler : peinture, sculpture, musique. Elle prend son plaisir dans la dilution du mien, et, là, elle devient stupéfiante de beauté. Elle m'embrasse vite et à fond, on se quitte.

Vous entrez à Saint-Pierre-de-Rome, on est là, tous les deux, à droite. Ce Michel-Ange a osé. Il était né pour oser. Cette sculpture, on le sait, mobilise tous les cinglés de la planète qui rêvent de la briser. Elle est bien protégée, dans un cube transparent à l'épreuve des balles. Les visiteurs en restent babas, les flashes crépitent, ils n'y comprennent rien, mais ils comprennent très bien. Elle a 16 ans, lui 33, il est mort, elle est vivante, elle berce son cadavre plus grand qu'elle, c'est son fils après tout, un dieu, et elle sait qu'elle est la mère de dieu restée vierge. Elle veille dans les siècles des siècles, aucune morbidité, la scène est irradiée de sérénité.

Loretta va et vient, elle a ses fiancés du soir, elle est vraiment jolie, mais prudence. Est-ce qu'elle fouille un peu dans mes affaires ? Sûrement, mais qu'est-ce qu'elle peut trouver d'intéressant ? Des livres en français, des cahiers illisibles... Des photos ? Elles sont dans un tiroir fermé à clé. Si je voulais l'attirer, il suffirait de laisser traîner deux ou trois portraits de femmes. J'ai ça en couleurs, campagne, bords d'océan, cafés de Paris ou de Londres. J'ai chaque fois l'air content et concentré avec l'une ou l'autre. Fleuve de photos, temps capté, condensé... Un petit roman par photo... Les mots entre les mots... L'invisible...

CLÉ

Il est impossible qu'une particule humaine se retrouve dans plusieurs endroits à la fois. Je dois donc voyager mon corps, pour attester qu'il est bien là où il se trouve, y compris dans le temps, et, pourtant, je tourne. C'est une expérience qu'on ne peut ni filmer ni photographier, il n'en reste pas moins qu'elle est incessante et vraie. À l'instant, j'ai 30 ans, je suis à Venise, cet angle de soleil en sait long sur moi.

Je suis devenu une mémoire vivante et parlant français. Je peux m'exprimer en italien avec Loretta et Ada, j'évite le nasillement yankee, je me demande pourquoi le français est finalement la langue de la plus grande mémoire possible, vision mathématique et rapide. Toutes les diagonales surgissent dans ses environs. Le soleil est ici sur ma tempe gauche, il est en même temps là-bas, il est maintenant et autrefois, il vient de l'avenir à travers l'autrefois, il brille dans cette plume d'or qui glisse comme du velours bleu sur la page, et même si je n'écrivais pas cette phrase, elle se tracerait quand même.

Du coup, chaque être humain, à l'improviste, me parle de sa présence. Que de soucis, de contrariétés, de fausses gaietés, d'espoirs déçus, de bavardages, de trajets pressés. Je m'assois à la terrasse d'un café, j'écoute. Pour la millième fois, des filles rient trop, se précipitent dans les mots – « En fait », « Tu vois » –, se plaignent de leurs mecs ou de leurs copines, parlent, parlent, parlent. Et, pour la millième fois, des types se racontent le match de la vie, leurs supériorités supposées, éclats de rires vides, avec retours sur portables et ordinateurs. Ils commentent le moindre SMS, ils boivent.

Voici une fille en embuscade, déjà très professionnelle. Le type, en face d'elle, est hypnotisé. Elle se fait valoir de toutes les façons possibles, croisement de jambes, reculs, visage penché, yeux intenses, mains volantes. Aujourd'hui, pour elle, c'est lui et lui seul. Il hésite, classe moyenne un peu inférieure, il est pudique, et gêné quand elle l'embrasse à pleine bouche (en jetant un œil de côté pour voir si on la voit). Elle se réfugie soudain dans son cou, elle l'a fait si souvent avec sa mère. Pas de problème, elle se sent déjà mariée et mère de trois enfants, et voici d'ailleurs un défilé de jeunes mères avec leurs poussettes, charmants enfants blonds qu'on ramène chez soi.

Aucun doute, je suis à Paris, ce qui ne m'empêche pas de voir, comme s'ils étaient là, les paquebots en partance ou les moineaux venant picorer, le matin, des grains de sucre sur ma table de *La Riviera.* Le soir tombe ici ? Il est grand midi là-bas. Je marche sur les quais là-bas ? Je m'arrête dans un parc ici. Je prends un autobus à Paris ? Je dors profondément à Venise. Je sens les mains d'Ada sur moi là-bas (*le médium est le massage*) ? Je lis un gros livre traduit du chinois, ici, sous les toits.

Tous les noms de l'Histoire ont un rapport intime, difficile à entendre, mais on y arrive. Le français est fait pour ça, il traduit tout, c'est son secret, il s'impose. Me voici soudain à Versailles, dans les escaliers, les couloirs. On meurt beaucoup par ici, à travers les fêtes, les messes, les complots, le poison qui rôde. On accouche, on meurt, on accouche, on meurt. On est sans cesse entre le rire et le glas. Ce sermon est magnifique, cette aventurière très belle, cette princesse absurde, ce courtisan ridicule. Aucune importance, la nave va. J'ai ma *clé de mort,* elle ouvre toutes les portes. De là aux petits quartiers populaires, il n'y a qu'un pas. Loretta court pour attraper son vaporetto, Ada, avant de partir, vient de m'embrasser avec douceur. Je me réveille vers 18 h 30, et ce sont les éboueurs dans la rue, ou, sur le boulevard, les pompiers, le SAMU, les flics, ou des manifestations hurlantes. Quel silence, en revanche, près de la gare maritime ! Les platanes, le soir, sont de plus en plus beaux, et voici, là-bas comme ici, des roses.

Et la magie continue, là-bas, en passant par les mains d'Ada couvrant la planète, bras, jambes, rivières, dos, montagnes, nuque, vallée, poitrine, plateau, omoplates, plaines. Elle masse des masses d'informations, elle s'arrête là, sur l'épaule droite, elle a une résistance à détruire. Maintenant, depuis le coccyx, petit roulement de baguettes. Elle m'a recouvert d'une serviette de bain bleue, elle feint la surprise en trouvant mon sexe, m'embrasse, mange carrément mes seins, sent que je vais venir, s'arrête, art de l'interruption, torture, calcul. Elle sourit, elle ne me voit plus, elle brille. Elle propose ses seins, enlève son jean, se laisse caresser, mouille, soupire, ne tient pas à savoir si j'ai joui, sauf Kleenex rapide, pas de mots, sensation pure, buisson enfantin, au revoir dérobé chinois, à une autre fois.

Non, ce n'est pas ici Loretta, mais Sabrina, ma femme de ménage parisienne. J'ai failli lui dire « come va ? », les visages, désormais, ont tendance à se superposer de façon très nette. Les incrustations de ce genre se multiplient, les ressemblances animales aussi. Cette famille est une nichée de chiens, ce gros bonhomme important un porc, cette dame fringante une truie, cette jeune fille un pélican triste. Voici une enfilade de femmes grenouilles suivies de garçons cockers. Je veux embrasser Ada, mais j'ai raison de m'abstenir, car c'est mon assistante qui pourrait m'accuser de harcèlement sexuel. Je m'étonne d'être reconnu par mes proches, je ne me savais pas si *typé*, si carte d'identité. C'est clair : le conducteur d'autobus joue dans un film, je suis monté par erreur dans un tournage de télé locale. Mais ils jouent tous et toutes dans un montage de cinéma, et qu'ils en soient conscients ou non ne change rien à l'affaire. Il y a les figurants et les figurantes de foules, les rôles secondaires de masse, les seconds rôles furtifs, les seconds rôles de scènes, les premiers rôles plus ou moins masqués qui se prennent tous pour des stars.

Comme tout s'accélère, beaucoup de vraies stars ne font qu'une apparition, et sont vite remplacées par le flot suivant. Combien de célébrités s'effilochent, s'effritent, sont oubliées jusque dans l'entrefilet de leur mort ! Dans les journaux, les « nécros » s'empilent, les « viandes froides » attendent leur tour, et le romancier qui voulait faire concurrence à l'État Civil a, depuis longtemps, refermé son ordinateur. Un seul champion toutes catégories persiste et signe : le duc de Saint-Simon, 7000 pages, 7854 personnages, nuits à la bougie dans son château nécropole. Maigre feu dans la cheminée, pas une rature, souffle du Saint-Esprit. Ses manuscrits ressemblent à des rouleaux chinois, principe d'autorité, c'est comme ça. Par rapport à lui, n'importe quel écrivain titube, tâtonne, continue ses foirades de façon butée, se rue au pilon, au gommage, au néant maussade. Ce ne sont qu'approximations, barbouillages, érotisme poussif, sentiments, doutes, marmelade. Aucune légitimité, comme s'ils n'étaient pas nés. Ils ne savent ni se lire ni vivre, leurs yeux sont sourds, leurs oreilles aveugles, ils n'ont qu'une existence d'emprunt, mais, tant qu'ils sont là, ils infectent tout de leur poids.

LE DUC

Je l'ouvre un instant le soir, à *La Riviera*, le duc, en mangeant ma friture de poissons sous le soleil rouge. Comme le temps a changé sur la vieille Terre ! Comme le 19e et le 20e siècle semblent loin ! Ce diable du 18e écrit en secret, personne ne se doute de son action noire. Il n'a rien à imaginer, toute la comédie se déroule sous ses yeux, chaque mot, chaque geste, chaque silence compte. Dieu est mort, mais, depuis cet angle vide, son secrétaire observe tout à la loupe, mariages, naissances, bâtardises, fortunes, vols, usurpations, trafics, agonies, ruines. Rien ne lui échappe, et ça va vite. Cet homme est un tourbillon dans un tourbillon.

C'est un plaisir étrange de le lire ici, au crépuscule, en pleine mondialisation numérique, tout en regardant passer les bateaux. Un monde disparaît, un autre surgit, un bébé crie, un vieillard expire. Versailles est devenu, comme Venise, une navette spatio-temporelle qui peut se poser partout, en plein Paris, à New York, à

Shanghai. Elle court sur l'eau, la navette, vaisseau de génie dont les passagers sont vivants, même s'ils sont morts. À bord, les phrases crépitent, c'est un feu de dieu, bâbord et tribord.

Il faut bien que Dieu se fasse Diable pour reconnaître le Diable. Voici un possédé, vous venez de le rencontrer dans les couloirs de n'importe quelle entreprise : « Il sent le faux en tout et partout à pleine bouche. » Un dirigeant politique ? « Il ne pense qu'à tout subjuguer, à tout confondre, à faire que tout soit peuple. » L'état général ? Voici : « Tout passe, tout s'avilit, tout se détruit, tout devient chaos... Tout est en pillage et en indécence... Prostitutions, mélange, confusion, règne des gens de rien, pillage et insolence des financiers, avilissement de tout ordre, aversion et crainte de tout mérite, vils champignons dominant dans les premières places, dont tout l'intérêt est de tout décomposer et de tout détruire... De cette façon, ceux qui n'étaient rien sont enfin devenus tout, jusqu'à dépouiller leur origine essentielle qui leur faisait honte, et, comme les bassins de la balance, ceux qui étaient tout, et d'origine et d'essence, sont tombés au néant. »

Dans quel style écrire ça ? « Tout doit faire voûte, rien d'inutile, tout serré, tout en preuve et en chaîne, sans interruption. »

Action.

DOSE

Quand je viens de Paris, je prends le dernier vol d'Air France, le vendredi soir à 21 h 30, arrivée à Marco Polo à 23 heures. Avec un motoscafo à toute allure, je suis chez moi peu avant minuit. Tout le quartier dort, pas un bruit. Je repars le lundi en fin de matinée, j'ai mes rendez-vous à Paris dans l'après-midi.

Ce week-end va rester mémorable. J'ai pris, le samedi matin, une dose trop forte, et je me suis vite retrouvé en état de désagrégation violente. Là, le corps ne sait plus où il est, il a juste une perception de lit et de chambre, mais le lit flotte, la chambre est ouverte à tous les vents, elle devient, comme le cerveau bousculé, sans limites. Drôle de truc, d'avoir un cerveau cosmique, et de ne plus savoir qui l'on est. Vous êtes en pleine hémorragie de mémoire, comme un mourant dans sa vision panoramique des moindres détails de son existence, mais aussi au-delà, flot des générations, bloc d'humanité animale, prolifération d'atomes, collisions de particules dont vous n'avez pas la moindre représentation. Les « coups de mémoire », eux, se présentent comme des sphères autonomes, planètes délirantes fonçant vers l'avalement des trous noirs. Vous êtes un trou noir dans un univers à cordes. Oui, *à cordes,* comme des milliards de violons jouant chacun une partition différente. La souffrance est énorme, vous respirez quand même (mais rien ne le prouve) dans une sorte de coma lucide. Au bout de deux ou trois heures, vous retrouvez un bras, une main, puis une jambe, et, selon toute probabilité, un visage.

La « descente » est problématique, puisque le temps a changé de nature. Tous les expérimentateurs en témoignent, chacun avec ses mots, ses visions, ses douleurs. Tantôt ce temps est visqueux, collant, paralysant, interminable, tantôt (et ça va mieux) intensément nombreux et poudreux. Jamais je n'aurais cru pouvoir contempler Venise réduite en légers cristaux, en grains effervescents, en bulles. Ce paquebot, avec tous ses passagers, est une cellule minuscule, cette église une miette, ce quai monte tout droit vers le ciel. Je regarde ma main, et elle me plaît bien. On dira ce qu'on veut : l'être humain est très sympathique. Voyez cette main : elle pourra se mettre à écrire quand les syllabes cesseront de tourner et de siffler comme des électrons ou des billes. Pour l'instant, je n'entends rien, sauf mon cœur qui bat (beaucoup trop vite), malgré le bruit qui doit exister sur le large canal. Enfin, je peux lire les lettres bleues et blanches sur la toile d'entrée, RIVIERA, qui vivra verra. C'est bien là où je suis, quatre heures de tremblement, et il est juste 4h de l'après-midi. La *montre* est une invention de génie.

Je rentre me coucher, et je dors. Mal. Le lendemain, dimanche, les cloches de midi me réveillent, elles claquent à toute volée, je descends, Loretta me demande où j'étais passé. Pas mangé hier, manger un peu aujourd'hui. Puis redormir, et prendre l'avion pour Paris. Reviendra vendredi prochain. À Paris, je note ma démarche hésitante, je suis près de tomber dix fois, mais me voici à mes rendez-vous. Mon drôle d'état n'est pas grave, mes collaborateurs ou mes amis croiront que j'ai trop bu.

Perdre son centre de gravité pendant quelques heures est une chose, le retrouver en est une autre, problème que les cosmonautes, je suppose, doivent avoir l'habitude d'éprouver. Vous prenez la substance trouvée sur place (elle arrive facilement par bateau), vous voyagez au bout du fini, vous rentrez dans vos limites après avoir volé dans le temps et l'espace. Dans le cas que je viens d'évoquer (surdose), c'est avec soulagement, sinon l'aspect comique l'emporte. Il vaut mieux dissimuler les fous rires insensés qui vous tombent dessus à la moindre occasion. Le rire de l'univers, comme dit l'autre, oui, vous savez ce que ça veut dire. L'univers, ou le multivers, infiniment grand ou petit, se rit de vous, de vos prétentions, de votre idiotie.

Il est mort de rire, l'univers, en considérant votre dimension d'insecte.

Pas vu, pas pris, pas perçu, pas compris. Comme le monde est fou, il faut bien s'inventer une contre-folie efficace, et devenir ainsi un contre-fou aussi déterminé que possible. Saint-Simon, par exemple, dit qu'il a toujours aimé son nom. Et, tout de suite : « Je souris, avec un dépit amer, de la prostitution de mon nom pour soutenir celui de toute la France. » La France, vraiment?

Depuis que je vis la plupart du temps en Italie (enfin, dans un angle précis de Venise), je ne sais plus très bien ce qu'est « la France ». Je vois qu'il se passe des choses dans le Nord, l'Est, le Centre, le Sud-Est, mais ce sont là, pour moi, des pays lointains qui ne s'unifient pas réellement à Paris. Je doute d'aller jamais en Corrèze, c'est-à-dire sur la Lune. Je connais les Français : hâbleurs, arrogants, désespérément normaux, faussement gais, revendicatifs, renfrognés. Ils méritent leurs Françaises tassées, conformistes, tristes. En Italie, on n'a pas le temps de s'arrêter sur les corps, ils ont déjà disparu dans la marée de l'Histoire. La France, de toutes ses forces, refuse désormais l'Histoire. L'Italie, elle, *la laisse passer.*

Et elle passe, elle passe, elle fait son travail de dissolution, sauf ici, dans ce quartier à part, ou alors là-bas, chez moi, dans le Sud-Ouest protégé par des tas de filtres, l'Océan, le vin, les îles, toute une série de ralentissements désinvoltes. Un Girondin qui croit à la France ? Introuvable. Il y a trop de sang entre nous. Il n'en est pas forcément conscient, le Girondin, mais il se méfie. Tout ce qui vient de France lui paraît suspect, contrôleur, fiscal, indiscret. Essayez donc de me découvrir dans la région, mille cachettes peuvent m'abriter. La vraie Révolution, c'est nous. Vous croyez occuper le terrain, Bordeaux, les environs ? Pas longtemps, vos têtes tombent toutes seules, vous êtes corrompus, alors que nous sommes riches. La richesse a toujours vaincu l'usurpation corrompue.

Et puis, les femmes. Il y a longtemps, Français, que vous n'êtes plus au courant de l'élément « femme ». Vous vous êtes vengés de l'esprit qui l'habitait. Mes Italiennes, ici, de milieu modeste, éclatent de vie par rapport à vos modèles racornis. Loretta ! Ada ! Qu'avez-vous de commun avec la petite-bourgeoise française partout au pouvoir ? Rien. Vous vous faites payer, soit, mais votre gratuité saute aux yeux. Il n'y a pas que l'argent, vous êtes constamment bordées par l'air, le vent, le soleil, les bateaux, la lagune, le velours des soirs. Les Françaises pensent que le monde a un sens, les Italiennes, non. Leur prostitution est plus dégagée, gaie, alors que celle de la Française est sérieuse, dure, appliquée. Une Française expédie des organes, une

Italienne s'expédie elle-même quand ça lui plaît. L'Italienne ne revendique aucune authenticité, quand la Française exige le respect. Il arrive, d'ailleurs, que la Française soit estimable, mais l'Italienne est toujours passionnée. La Française fait sans cesse de la prose, l'autre est le plus souvent en train de chanter.

Loretta m'amuse. Je sens bien qu'elle fait monter ses prix dans la région « homme », en se servant de moi, habilement, comme appât. Curieux « professore », il doit se sentir bien seul. Il est sans doute veuf ou divorcé, il n'est pas impossible qu'il ait envie de se remarier. Non, non, il n'est pas gay, il y a des regards qui ne trompent pas, des petits signes, des baisers envoyés de la main, j'envie sa masseuse. Pas d'avances ambiguës, de la retenue. Il a son charme, l'âge ne fait rien à l'affaire. Mon grand-père l'aime bien, mes copines le trouvent plutôt séduisant. Elles me demandent s'il va m'inviter un jour à Paris. Pas encore.

Elle joue son jeu, Loretta, son mariage est là, à l'horizon, comme une brume. Après tout, malgré ses amants, c'est une jeune femme sérieuse, elle ne pourra pas aller plus loin sans s'encombrer d'un homme et d'enfants. Il vaudrait mieux pour moi qu'elle n'abandonne pas son père, et qu'elle rencontre un solide garçon qui l'aiderait à tenir *La Riviera* tant que je suis là. Elle est très attachée à cet endroit, je lui fais confiance. Ada, elle, n'a pas ces problèmes. Elle semble indifférente à toute préoccupation sociale, elle vient, pas de questions, elle s'occupe du corps de son étrange client, elle le connaît sur le bout des doigts, elle en a fait le tour, et encore le tour, mais l'étonnant, avec elle, c'est le côté toujours nouveau de la sensation, son goût d'éternel retour. Il y a un corps *dans* le corps qui a sans cesse des choses à vous dire et à vous redire. On ne se lasse pas de cette musique, et, ici, il faut une partenaire pour savoir qui on est vraiment. Faire l'amour à l'ancienne devient lourd, la masseuse, et son huile, vous fait venir de plus loin, de là où vous étiez sourd.

La dose que j'ai prise ce matin est la bonne. Le paysage gagne en profondeur, les couleurs en fraîcheur, les fleurs en attraction pour les papillons blancs ou jaunes. C'est une belle journée, quoi, c'est-à-dire du temps suspendu et multiplié. Un jour, heure par heure, en compose dix, une nuit, avec un sommeil spécial, en réalise vingt. Dix jours, un mois, un mois une année, et ainsi de suite, lenteur à grande vitesse. Je vois déjà, en accéléré, la vieille Loretta devenue grand-mère, le squelette déjà ambulant du vieux patron de *La Riviera*, la même mouette posée sur un piquet depuis quatre ou cinq siècles, la marée bleu-vert impassible, un nuage noir millénaire, ce chat jaune qui a toujours été là. Il n'y a qu'Ada qui ne change pas. Voilà, elle me masse maintenant le visage, le crâne, bien à fond, jusqu'à l'os, pointe d'épingle ou résonance magnétique. Je sors, dans l'air frais du quai, avec ma tête de mort toute neuve. Incinération un jour ? Non, non, pas question de brûler mon crâne. Gardez-le précieusement, et exposez-le, une fois par an, à la Bibliothèque nationale, en même temps qu'une centaine de mes manuscrits. Pour l'instant, il abrite un cerveau de 1 kilo 350 grammes comportant 85 milliards de neurones. Chaque seconde, je le sais, il produit 100 000 milliards de signaux synaptiques. De quoi se plaindre ? Ce serait léger. Il est temps de s'occuper du seul art qui, désormais, s'impose : celui de la contre-folie.

MANUEL DE CONTRE-FOLIE

Vous êtes fou, c'est entendu, mais vous n'avez aucune raison de préférer la folie des autres à la vôtre. Celle des autres, vous la connaissez depuis l'enfance, elle est lourde, elle vous suit partout, elle essaye, par tous les moyens, de briser la vôtre, que vous avez la folie (c'est le mot) de trouver enchantée, légère.

Vous avez l'intention d'être clair, précis. Il faut que ce Manuel puisse vous servir en toutes circonstances, dans les situations les plus imprévues. La folie est un tourbillon continu, la contre-folie doit être un contre-tourbillon constant. Poison ? Contre-poison. Blessures ? Cicatrices. Cauchemars ? Extases programmées. Mauvaise humeur ? Rires. Problèmes d'argent ? Augmentez les dépenses.

La folie vous guette ? Vous la devinez. Elle s'exprime ? Vous faites le mort. Elle augmente son bruit ? Montez la musique. Elle rentre chez vous comme si elle était chez elle ? Sortez, disparaissez, revenez. Inutile d'opposer à la folie la raison, le bon sens, la décence, la compassion, le respect, le souci de l'humanité ou de l'autre. Par définition, même avec des discours « humains », la folie est furieuse. Elle n'en a pas l'air, mais ça va venir. Cet orage vous surprend ? Cette agression vous gêne ? Vous avez des progrès à faire, c'est urgent.

Plus vous vous sentez à l'aise avec votre folie, plus la folie générale est désorientée par votre existence. À l'aide de votre contre-folie, vous lisez dans les pensées des fous qui se croient normaux. Ils se répètent, vous divaguez. Ils insistent, vous changez de sujet. Ils vous accablent de clichés, vous leur récitez des poèmes.

Le silence réprobateur des fous vous fatigue. Vous en rajoutez donc dans la gratuité, la désinvolture, le narcissisme épanoui. Vous blasphémez allègrement les poncifs moraux, vous dites du mal de toutes les religions et des plus grands philosophes. Avec les folles, pas d'efforts à faire : elles parlent tout le temps, c'est commode. Vous ponctuez de temps en temps, tout en pensant intensément à tel détail de tableau ou de paysage. Vous faites semblant d'être là, vous êtes dehors, et vous oubliez instantanément ce qu'elles viennent de dire. Supposons que vous soyez écrivain : vous avez une phrase à finir, c'est le moment, en plongée, d'écouter mieux sa cadence. Malgré le bruit, ça s'écrit. Comme elles ne lisent rien, vous êtes tranquille.

La folie fait du cinéma, votre contre-folie est astrophysique. La matière noire vous émeut, la découverte du boson vous comble, le néant marche avec vous dans la rue. Vous aimez les enfants, dont la contre-folie est évidente. On tente sans arrêt de les rendre fous, mais ils multiplient les incartades, les jeux de mots idiots, les maladies, les chagrins rentables. Ils sont là pour aggraver la folie de leurs parents, des éducateurs, des maniaques sociaux. Ces emmerdeurs-nés enfantins sont coriaces. Vous êtes comme eux, mais, vous, vous allez le rester contre vents et marées. Ils grandissent, vous rapetissez, ça y est, vous êtes maintenant un atome invisible. Pas besoin de dissimuler, vous êtes caché.

Vous êtes récusé, gardez-vous d'accuser. Vous savourez ce rejet, cet hommage. Plus la folie vous oublie, plus elle s'inquiète de son oubli. Elle sent que son temps est compté, pesé, divisé, alors que vous avez atteint la durée. La folie a besoin de se renouveler pour se répéter, la contre-folie, au contraire, est immuable, comme les mathématiques ou les pyramides sur lesquelles passe soudain un vent frais. Vous êtes dans le désert, servi par des anges. Votre retraite est introuvable, les oiseaux et les papillons vous aiment. La lune, toutes les nuits, vous sourit.

Encore des factures, des rappels à l'ordre, des chèques à remplir, des prélèvements en tous genres ? Vous payez selon votre contrat avec la folie. Après tout, c'est votre employée. Ne soyez pas grossier ni méprisant avec elle, le mépris est un mauvais placement, une faiblesse qu'il faut éviter. Vous ne méprisez personne, vous *comprenez*. Vous payez vos impôts, vos dettes, vous êtes un citoyen irréprochable, un virtuose de duplicité. Vous ne mentez pas, vous omettez. La vérité est un manteau sombre, une déesse que vous avez rencontrée. Dans votre vie, au fond très simple, les calculs se font d'eux-mêmes, les chiffres se débrouillent seuls, l'ordre règne sans avoir à se prononcer. Vous avez faim ? Vous mangez. Soif ? Vous buvez. Sommeil ? Vous dormez.

Votre livre de chevet, depuis longtemps, est un dictionnaire illustré. La splendeur des mots, les renseignements qu'ils donnent vous enivrent dès que vous l'ouvrez. De A à Z, quelle forêt ! C'est pour vous, pour vous seul, que ce travail a été accompli, en un ou plusieurs volumes. Vous voudriez apprendre par cœur les biographies des hommes et des femmes illustres, dans tous les domaines (il y en a 27 000 au moins), et vivre, de temps en temps, dans leur intimité. Des rois, des reines, des saints, des saintes, des artistes, des inventeurs, des savants, des stratèges, des révolutionnaires, des criminels, impossible de s'ennuyer. À partir du dictionnaire vous allez à une contre-folie gigantesque, celle des *Mémoires* de Saint-Simon, en lisant aussi toutes les notes. Vous pouvez aussi changer de langue quand ça vous chante, et ouvrir alors le grand dictionnaire franco-chinois, le *Ricci*, pour lequel, si vous vous y mettez, il vous faudra au moins dix vies.

La folie n'aime pas l'Histoire et les dictionnaires, c'est-à-dire tout ce qui pourrait gêner sa monomanie. Vous lui faites le coup des morts, par milliers, ça la fait tourner comme une toupie sur elle-même. Elle a une haine infinie des mots, des noms, des dates, des portraits, avec des arguments parfois péremptoires comme l'ignorance elle-même. Testez, vérifiez. La folie se prend pour Dieu, elle sait tout, elle connaît tout, d'emblée. Elle n'a aucune curiosité, sauf sexuelle ou malsaine. Elle pense avoir la clé des songes, des comportements, des désirs, des existences. Elle ne pense pas, elle juge, elle préjuge, elle a réponse à tout. Elle réécrit d'un trait l'archive humaine. Elle est en famille et en familiarité avec tout ce qui dépasse du lot, elle était là dans tous les conflits, les chambres, les cabinets, les guerres, les voyages, les partitions, les ateliers. Les civilisations sont à ses pieds. Pour elle, il n'y a qu'une seule réalité : la sienne.

La folie contrôle tous les moyens de communication, où sa puissance devient de plus en plus manifeste.

Passons sur les médias ou Internet, où elle fait régner la plus grande confusion possible, l'essentiel, le cœur du pouvoir n'est pas là. Agitation et transvasement numérique, recyclage technologique, ordinateurs et téléphones toujours nouveaux, tablettes remplaçant les tablettes, ça fonctionne, et les satellites s'en chargent. Le noyau dur, c'est l'archive, l'encyclopédie, le savoir au bout des doigts, autrement dit la Mémoire. La mainmise sur la Mémoire est devenue une priorité absolue.

C'est ce déferlement que seul Saint-Simon pressent, devine, anticipe. Il a tout sous les yeux, il vérifie, il se construit un corps musical qui résonne sur le moindre indice, son squelette rapide se faufile chez les morts-vivants. Son expérience est génétique et chimique. Il pourrait l'appeler *Manuel de contre-folie.*

N'importe quel jeune crétin un peu malin peut vous éblouir aujourd'hui de sa science universelle. Il se connecte, il tape, il sait tout, Le Dictionnaire papier est lent, l'affichage technique est fulgurant. L'ordre alphabétique disparaît, la demande est immédiatement satisfaite. D'où l'importance de la gestion des fiches, des notices, où l'essentiel est résumé en peu de mots.

Attention, les informations peuvent changer. Prenez l'entrée « Voltaire », par exemple. Encore récemment, cette figure universelle était célébrée comme un défenseur ardent de la Liberté et des Droits de l'homme, loué pour avoir triomphé de l'obscurantisme de son temps. Aujourd'hui, coup de torchon : j'obtiens « Voltaire, misogyne, homophobe et antisémite ». Suivent des citations qui font froid dans le dos. Si, à partir de là, je continue de m'intéresser à Voltaire, et à vouloir lire ce qu'il a écrit sur ces sujets devenus ultrasensibles (les femmes, les homosexuels, les juifs), je serai aussitôt fiché comme pervers dangereux, fasciste et potentiellement terroriste. Surtout, ne demandez rien, ne formulez aucun désir de renseignements supplémentaires, sans quoi la folie vous identifie.

La folie, de tout temps, ne pense pas, mais a une idée fixe. L'Histoire est un Mal, un grand mal, qu'il faut convertir en Bien. Ce Bien, de quelque nom qu'on l'appelle, doit régir le temps. La folie est absurde, inculte, ruminante et lancinante, mais elle est réglée pour corriger ses erreurs. De façon surprenante, Dieu, qu'on croyait discrédité depuis longtemps, reprend du poil de la bête. La science des particules le prouve, son nom est Big Bang, on le retrouve à l'origine du cosmos. Mais la preuve la plus évidente de son existence, on ne vous le dira jamais assez, est le sens moral, la voûte étoilée morale, ou, n'exagérons rien (puisqu'on s'adresse à d'éternels mineurs), la tendance morale intérieure. Vous pouvez multiplier les preuves du contraire, meurtres, massacres, corruption à tous les étages, la folie vous regardera de haut, et vous répétera que tout va pour le moins mal dans le meilleur des mondes possibles. Votre contre-folie s'oppose vivement à cette vision délirante. Mais restez calme, ne commencez pas à brûler le nombre impressionnant de livres et de magazines sur ce sujet increvable. La folie prend soin de vous vendre Dieu au milieu de mille autres produits positifs : la Santé, le Tourisme, le Sport, le Mariage pour tous, le Crime. Si vous êtes un homme (ou ce qu'on appelle encore de ce nom), sachez que vous êtes responsable de vos spermatozoïdes stérilisés par la fumée du tabac. C'est vous, là, qui tuez à petit feu votre entourage et qui dépeuplez la planète de ses légitimes consommateurs. Une caméra de surveillance vous a enregistré chez vous : vous fumiez, entouré d'innocents enfants en bas âge.

Bien entendu, vous prenez soin de ne pas vous isoler ou d'être marginalisé. Vous savez parler couramment le dialecte des fous et des folles. Aucun cliché ne vous est étranger, vous savez le placer au bon moment, ça vous donnera l'air *raisonnable*. Vous gardez vos contacts avec des amis fous et des amies folles. Ils n'aiment pas votre contre-folie, mais ils ne la détestent pas non plus. Ils vous trouvent aberrant, mais drôle. Ils aident la folie, mais sans enthousiasme. Ils aiment bien vivre à vos crochets. Ils circulent, voyagent, vous rapportent avec prudence des nouvelles de l'insensé. Les meilleurs, au fond, se réjouissent des catastrophes, ils sont gais. Vous tenez beaucoup à vous entourer de femmes plutôt folles, mais gaies.

La traversée de la folie ne va pas sans difficultés ou tempêtes. Vous avez beau tenir le système de la Déraison et être un navigateur expérimenté, votre corps est quand même un corps, et il peut glisser, voire passer par-dessus bord, pour persuader l'équipage cinglé de lâcher du lest, c'est-à-dire vous-même. La folie vous fait miroiter les avantages du suicide : plus de soucis, de douleurs, de fins de mois compliquées, *plus de folie,* le grand sommeil des cendres sous la lune, l'auréole du martyr, la vraie gloire, enfin. Vous caressez cette idée, pas folle du tout *en apparence.* Peut-être y céderez-vous un jour, mais ce *Manuel* s'y oppose. Si vous le démentez, il n'en restera pas moins vrai.

La folie se demande parfois comment vous avez fait pour la pénétrer, l'éprouver, l'étudier de l'intérieur, et en ressortir indemne. C'est une question qui l'effleure, mais pas longtemps. Elle est sûre de ses verrous, de ses réseaux, de ses émetteurs, de ses salles de rédaction, de ses conseils d'administration, de ses services de délation. Elle obtient régulièrement sur vous (vous y veillez) des notes insignifiantes. Rien de plus facile que de tromper la folie : il suffit d'être naturel et d'aimer vraiment ce qu'on aime.

L'argent passait pour largement criminel, mais raisonnable. Tout le monde sait désormais qu'il est fou. L'argent fou est la preuve de la folie générale elle-même. Vous n'en ressentez que les retombées radioactives, mais les explosions ont lieu à vingt mille lieues sous les mers. Personne ne sait ce qui a lieu exactement dans les îles Caïmans, c'est la dérive des continents, la fonte des banquises, la bizarrerie climatique. Vous avez quelques amis banquiers (« amis » est beaucoup dire), qui, de temps à autre, vous décrivent l'apocalypse *lente*, la suffocation par excès. Les caméras sont fixées sur la misère montante, jamais sur les empilements financiers des fous du clavier. Vos connaissances sur les flux de matières premières sont restreintes. Vous ignorez en général par où passent le pétrole, le gaz, la drogue, la prostitution. Vous vous contentez de votre petite bagnole. Vous la garez dans un chemin de campagne, un oiseau vous regarde, vous êtes ravi.

Vos frères préhistoriques de Lascaux vous accompagnent dans l'ombre. Ce qu'on dit de leurs « Vénus », à partir des sculptures, ne tient pas debout. En réalité, elles étaient ravissantes, délicates, charmantes. Leurs massages intensifs étaient célèbres dans toute la région, et les mâles venaient les voir de très loin pour faire soigner leurs poignets, leurs doigts, leurs bras pour la chasse. Elles vous raccrochaient des mâchoires ou des épaules en un tour de main. Vous êtes un civilisé entouré de barbares : vous êtes donc seul à les évoquer, la folie les ignore. Laissez-moi toucher ce silex : aussitôt, une vague de force m'envahit comme une musique. J'entends les bouquetins, les lions, les cerfs, les chevaux, les mains de remerciements négatives, mais surtout les admirables femmes et leurs vulves, leurs articulations savantes en train de pétrir leurs guerriers animaux. Je viens de là. Ada vient de là.

Vous plaignez sincèrement certains fous, certaines folles. Après avoir pas mal voyagé, vous constatez que vous avez fait le tour de la question, votre contre-folie s'approfondit et devient permanente. Cela ne vous empêche pas de visiter les plus beaux spécimens de votre collection. Notez-vous des évolutions, des transformations ? Non, la folie est stable. Le film change, mais pas les thèmes, les performances, les grimaces d'actrices ou d'acteurs. La couleur dominante est noire. La folie est jalouse, elle broie son noir.

Un nouveau tour en enfer ? Pourquoi pas, on verra si votre contre-folie tient le coup au pays des ombres. Voici la grande plaine sinistre. Vous vous prêtez au jeu, vous parlez, vous élucubrez, vous théorisez, vous roucoulez. Les fous font parfois semblant d'être d'accord avec vous, mais toutes vos formulations, votre voix elle-même les révulsent. Un raisonnement suivi est pour eux une offense, une grande souffrance. Vous rencontrez des fous philosophes ou universitaires pour lesquels, après tout, vous n'êtes qu'un amateur. Vous n'avez pas votre autorisation de penser, ce qui vous fait perdre beaucoup de temps à les écouter ne pas penser. Les folles, elles, sont parfois plus amusantes, et vous vous réveillez de temps en temps dans des appartements inconnus, et même des suites de palaces. La star du lieu vous fait une danse des sept voiles, tombe sur vous, gémit, s'exclame, se pâme. Le moment approche où il va falloir s'éclipser. Quel beau mot, *éclipse*. Vous êtes une ellipse à éclipses, refroidissement assuré.

Elles parlent sans arrêt, toujours d'elles-mêmes. Pour vous détendre, prenez la parole, ne la lâchez plus, monologuez. Je ne sais pas, moi, brodez sur une de vos lectures récentes, la plus ardue, la plus abrupte, avec des commentaires de votre cru inventés au fil du discours. Je recommande un auteur imparable : Heidegger. Quand vous en êtes à raconter comment rencontrer la déesse-vérité elle-même, tout cela à partir du grec ancien, bien sûr, vous pouvez vérifier que votre compagne hystérique s'est paisiblement endormie de façon enfantine et gracieuse. C'est le moment de la quitter sur la pointe des pieds. Elle ne vous en voudra pas d'être un si bon somnifère.

Je prends la précaution de consulter la notice de Heidegger. Je vois qu'elle est lapidaire (pire que celle de

Voltaire) : « Philosophe nazi ». Vos amies folles n'ont pas la moindre idée de l'identité réelle de ce penseur douteux, mais elles interrogeront le lendemain une de leurs connaissances dans le clergé fou médiatique. Elles seront édifiées sur votre nature de séducteur fugitif. « C'est bien ce qui me semblait : il est fou. » Excellent pour vous : votre contre-folie vous fait passer pour normal, c'est-à-dire fou. N'abusez quand même pas de cette potion magique. Il ne s'agit pas de *provoquer* la folie, ni de vous faire une réputation d'extravagance.

Il n'en reste pas moins que vos variations inspirées sur le thème « L'Être est, le Non-Être n'est pas » ont un effet indiscutable sur les psychoses narcissiques les plus cuirassées, actrices de cinéma, stars de la télé ou de la mode, chanteuses ou danseuses. Si une dose ne suffit pas, rajoutez un peu de *néant*, et vous verrez les effets : bâillements, amollissement général, torpeur digne de la meilleure chimie. Pas besoin de psychanalyse, le néant suffit.

Si vous parlez de maladie, de mort, de deuil, de problèmes sentimentaux, d'insomnies, elles pourront vous écouter pendant des heures. Elles ont un grand respect pour le malheur, elles sont romantiques, à la recherche du temps perdu, la moindre histoire d'amour ratée les passionne. Si vous êtes hétéro, n'évoquez jamais une autre femme, sauf description de souffrance aiguë.

Le bon truc, si vous en êtes capable, consiste à vous déguiser en homosexuel égaré. Vous n'avez pas besoin de connaître Proust dans les détails, l'évocation de son nom vous sert de passeport. Elles en ont entendu parler, c'est un auteur en qui on peut avoir confiance. Même si vous devez vous forcer, prenez un air éthéré. Attention, vous êtes de toute façon un éléphant dans un magasin de porcelaine. La folie a une tendresse particulière pour la porcelaine. Pour ce qui est des éléphants, le trafic d'ivoire a repris.

La prolétaire vous sourit, mais prenez garde. Pour elle, même si vous êtes habillé n'importe comment, vous êtes né avec trois cuillères d'argent dans la bouche, vous puez le bourgeois méprisant à dix kilomètres. Elle se doit de venger son grand-père et son père, exploités jusqu'à l'os par votre famille de confort. Rien n'y fera, vous êtes jugé d'avance. N'essayez pas de la séduire, elle ne trahira pas ses martyrs.

La folle « d'origine modeste » n'a pas cette grandeur d'âme. Tout lui est dû, elle veut les sommets, millimètre par millimètre. Elle est sûre d'avoir un destin, et, parfois, elle l'obtient. Pour elle, vous êtes incompréhensible : au lieu de monter dans l'échelle sociale, vous semblez la descendre avec indifférence, vous n'utilisez pas vos atouts. Elle vous trouve divertissant, mais elle vous méprise. Qu'est-ce qu'elle a à gagner avec vous ? Rien.

Le petit-bourgeois, la petite-bourgeoise, c'est encore autre chose. L'origine modeste n'est pas progressiste, elle peut même, prête à tout, devenir fasciste. Le petit-bourgeois aussi, mais plus rarement. C'est quelqu'un d'étriqué, de résigné, qui a été encadré, surtout en France, par l'Administration, les Institutions, l'Éducation nationale, bref par la République. Il vote socialiste par définition. La petite-bourgeoise est autrement dangereuse, surtout quand elle fréquente le petit-bourgeois « branché », peintre, chanteur, cinéaste, contorsions diverses. Elle le vampirise, le dépasse, joue mieux de l'excès que lui, boit autant, se drogue mieux et plus fermement. Comme toute cette activité reste surveillée et plus ou moins subventionnée, le pouvoir existant n'a pas grand-chose à craindre.

La folie, tout en disant bruyamment le contraire, aime le désordre s'il ramène à l'ordre, les anomalies quand elles renforcent la normalité, les délires lorsqu'ils développent une fausse raison supplémentaire. La folie, terroriste en diable, pourchasse le terrorisme pour mieux l'aggraver, c'est sa fonction de pompier pyromane. Très à l'aise avec la corruption, elle sait fermer les yeux quand il faut, tout en continuant à faire la morale. Elle est comme ça, la folie : son envers est comme son endroit. De l'endroit à l'envers, les intermédiaires pullulent.

La folie des enseignants et des enseignantes vous a renseigné, dès votre plus jeune âge, sur le sadisme et la volonté de puissance qui habitent ces corps désertés. Plus tard, vous êtes amené à connaître des universitaires, parfois célèbres. Leur jouissance consiste à transmettre leur folie au maximum d'ignorants, en luttant sans cesse pour la première place. La France est une République des professeurs, on le sait. Les magazines se chargent de vous le rappeler tous les trois mois, avec classement de « maîtres à penser », de « penseurs qui comptent », d'espoirs, de nouvelles générations en attente. Les « intellectuels » forment un grand parti où la concurrence fait rage. Les uns ou les autres sont pieusement interrogés sur le passé, le présent, l'avenir, le bonheur, le malheur, Dieu, le Bien, le Mal. Les vedettes se succèdent tous les trois ans, leur bon sens est en général frappant d'évidence. Il arrive qu'on repêche des morts qu'on n'attendait plus, des vieillards assagis, des producteurs de tisanes. Là, comme ailleurs, c'est la photo qui compte. Un penseur dont vous avez vu la tronche cent fois en vaut mille. C'est l'égal des plus grands, Platon, Aristote, Descartes, Kant, Hegel, Dupont.

L'enseignante vous a à l'œil. Elle vient de temps en temps vous interroger sur ce qu'elle croit savoir, et son opinion qu'elle partage. Elle suit son idée, elle y tient, c'est sa thèse. Ne tentez pas de lui faire prendre un chemin qui ne va nulle part. Surtout pas de jeux de mots. Elle a ses préférences et ses références, toutes ses notes en bas de page sont déjà écrites, elle a un radar intégré pour les noms à citer ou à oublier. Distante, un peu renfrognée, elle doute de votre sincérité à simuler la folie normale. Faites état de votre passion pour le 18e siècle : elle vous laissera tomber.

La psychanalyste est fascinante, surtout si elle est jolie (c'est rare, mais ça arrive). En voici une, très avenante. Elle pose les bonnes questions, vos réponses la troublent. Son décolleté, à peine découvert, vous donne le vertige, vous pressentez des possibilités de volupté subtile. Mais que se passe-t-il ? Elles est mélancolique. Vous voyez se dérouler dans ses yeux toutes les hypothèses cliniques à votre sujet : schizophrène ? paranoïaque ? pervers ? névrosé obsessionnel ? borderline ? Tout ça, tout ça, plus quelque chose d'indéfinissable. Vous voudriez l'aider à prendre la vie du bon côté, mais ce serait toute une rééducation à faire. Elle est désenchantée. Dommage, elle vous plaisait.

La folie vous bouscule ou vous fait attendre. L'argent n'attend pas, il est pressé, il sévit. Pour l'attente, essayez donc d'aller faire renouveler votre carte d'identité ou votre passeport dans une mairie parisienne. Couloirs bondés, employés débordés, foule angoissée. Vous refaites connaissance avec vos empreintes digitales. Dans la cour, où vous attendez votre tour en fumant une cigarette, vous avez devant vous un grand bloc rectangulaire de pierre, avec, gravée, l'inscription suivante :

LE XIVE ARRONDISSEMENT DE PARIS
À SES ENFANTS

MORTS POUR LA FRANCE

C'est du dernier soupir de nos héros
Qu'est fait le souffle immortel de la patrie

Cette tirade vous évoque aussitôt le chant à la gloire de la République : « Un Français doit vivre pour elle, pour elle un Français doit mourir. » Ça y est, la musique intérieure s'élève, « qu'un sang impur abreuve nos sillons », et la suite. Impossible de ne pas penser à la devise du Panthéon : « Aux grands hommes, la patrie reconnaissante » (il faudrait se décider à enlever les restes de l'odieux Voltaire de ce lieu sacré). Il vous est arrivé d'inventer un blasphème idiot « Aux petites femmes, la matrie rancunière ». Vous avez même proposé une modification des trois termes fondamentaux en quatre : « Liberté, Égalité, Fraternité, Maternité ». Enfin, bon, je prends mes papiers d'identité, et je file.

Vous restez songeur devant cette patrie qui prétend respirer grâce aux « derniers soupirs de ses enfants morts pour elle ». Un enfant de la patrie est-il toujours « déjà mort » ? A-t-on pensé à enregistrer, pour en faire un souffle, les derniers soupirs ? Je sais : vous pouvez consulter mon livret militaire, « réformé sans pension pour terrain schizoïde aigu ». Je suis très fier de ce diplôme, obtenu après une grève de la faim et un silence obstiné, dans l'est de la France. Il neigeait.

Là-dessus, vous tombez sur vos fous et vos folles préférés, les journalistes. Là, pas de quartier, c'est vous ou eux (ou elles), à l'arme blanche. À la radio ou à la télé, vous avez trois minutes pour vous exprimer. Le présentateur ou la présentatrice n'écoute rien de ce que vous dites, et regarde la pendule. Dix secondes, c'est beaucoup d'argent pour dire simplement « c'est moi ». Le présentateur connu a peur que vous lui piquiez la direction du plateau, il fait parler tout le monde sauf vous, et encore en dernier. Tout va vite, très vite, au suivant, à la suivante, bonne nuit, à demain. Dans la presse imprimée, bourrée d'erreurs non sanctionnées, vous êtes obligé de réécrire vos interviews, qu'on vous livre en bouillie illisible. Pourtant, vous faites confiance aux appareils, micros, caméras, vous connaissez la technique. Ce sont les humains qui dérèglent tout, pas la technique. Les humains sont rarement dignes de leurs appareils, ils deviennent des prothèses plus ou moins infirmes par rapport à eux. Trait d'époque.

La folie prolifère, l'exemple des écrivains le prouve. À chaque rentrée « littéraire », 600 romans, ou plus, encombrent les librairies. Vous dites « écrivains » par habitude, vous devez aussitôt ajouter, pour être dans le ton, « écrivaines » ou « auteures ». La bousculade est intense, seuls deux ou trois livres tirent leur épingle du jeu. Vous aimez les écrivains, les écrivaines, les auteures, d'autant plus que votre métier (si on peut dire) consiste à lire dix manuscrits par semaine, au moins. Vous choquez votre assistante en statuant, après regard sur quelques demi-pages, que c'est nul, et donc à renvoyer avec la formule consacrée. Votre assistante est humaine, pas vous. Vous êtes professeur au Conservatoire, un type ou une fille s'installe au piano, c'est vite entendu, au suivant ou à la suivante. Y avait-il là un toucher, une *voix*? Non. Des lourdeurs, des préciosités, des approximations, des éructations, des fausses notes. Comment pouvez-vous être aussi sûr de vous ? Je ne sais pas, mais on ne va pas y passer trois mois. J'aime mon assistante, je suis désolé de lui apparaître comme un marchand d'esclaves cruel, une sorte de monstre sadien qui élimine, d'un revers de main, des existences entières, émois, frissons, bavardages. Qui veut encourager une telle illusion ? Pas moi. Au passage, il faut quand même signaler que la France détient le record mondial des individus qui ne peuvent pas s'empêcher d'écrire.

La folie commémore, la contre-folie remémore. La folie veut imposer des « devoirs de mémoire », la contre-folie se paye de larges tranches d'oubli. Oh, elle se souvient de milliers de choses, la contre-folie, elle a plus de souvenirs que si elle avait mille ans, dix mille ans, mais ce sont des cas précis, des mots, des situations, des couleurs, des accents, des singularités irréductibles. La contre-folie ne croit pas à la mémoire collective. Elle a ses expériences concrètes, c'est tout. La folie noie les corps comme des photos, la contre-folie discerne des esprits. Ce réflexe, qu'il vaut mieux dissimuler, la rend sourdement suspecte. Malgré vos efforts ensemblistes, n'espérez pas faire avoir à la folie une autre mémoire que la sienne : elle y tient beaucoup. On a pourtant vu des contre-fous entrer en agonie le sourire aux lèvres.

Tous les matins, à Paris, été comme hiver, j'attends mon autobus, en voyant, en face de moi, sur un mur gris, entre deux volets toujours fermés, la plaque gravée suivante :

À CET ENDROIT
EST TOMBÉ GLORIEUSEMENT
LE 25 AOÛT 1944
JEAN LAVAUD
SOUS-OFFICIER FFI
SECTION DE FONTENAY-AUX-ROSES
CROIX DE GUERRE
À L'ÂGE DE 31 ANS

L'immeuble, au pied duquel ce sous-officier des Forces Françaises de l'Intérieur est « tombé glorieusement » un jour de plein été, pendant la libération de Paris, est abandonné, sauf une fenêtre aux rideaux sales. De temps en temps, un bouquet de fleurs vite fanées est accroché à côté de la plaque. Il paraît qu'il y a maintenant, à Fontenay-aux-Roses, un centre de recherches nucléaires. Très tôt le matin, qu'il pleuve ou non, il n'y a ici que Jean Lavaud et moi.

La folie complote, la contre-folie désengage. Imaginez la vie « politique », ses réseaux et ses conciliabules. Ça conciliabule beaucoup, vous les entendez chuchoter d'ici, les pauvres. Il faut être élu, réélu, siéger, convaincre les citoyens qu'ils ont voix au chapitre, rassurer, promettre, changer d'avis en douceur. Pour ce sport de haut niveau, il faut de l'argent, d'où les explosions, plus ou moins purulentes, d'« affaires ». Essayez donc de devenir président des États-Unis sans lever des tonnes de dollars. Ce fonctionnement est-il immoral ? Au contraire. L'argent dit la vérité de la liberté, celle de la démocratie, sans laquelle le monde, dit à juste titre la folie, ne serait que folie. Tout est donc pour le mieux dans la meilleure des folies possibles.

Ce qui prouve que la contre-folie est plus forte que la folie, c'est le fait que vous vous sentiez libre, à chaque instant, dans une Nature libre. Les paysages, l'océan, les oiseaux sont gratuits. Jean Lavaud traverse la rue, vient me serrer la main, et allume une cigarette. La folie ne voit rien, elle turbine. À la rigueur, elle regarde un film en croyant voir des arbres et des fleurs. La mer existe pour elle si elle nage dedans, mais l'eau n'est jamais qu'un agrandissement de baignoire ou de piscine. À quoi pensent les nageurs, les nageuses ? Aux cocktails qui vont suivre, aux invités prévus, aux dîners, à leur cercle. Le mari, la femme, les enfants occupent les cerveaux de plage. Les familles se haïssent au soleil, y compris celles, recomposées ou de parents du même sexe. Là encore, sans photos, il n'y a rien. Vous collectionnez, pour vous seul, mille photos admirables. Vous avez fait, il y a longtemps (à Venise, surtout), des provisions de cartes postales qu'on ne trouve plus, des cartes sans nécessité touristique. Des photographes arrivaient encore à vibrer un peu. C'est fini, ça ne se vend plus.

La folie déteste l'oisiveté, la paresse, les fêtes qui ne sont pas de grands rassemblements de bruit. Elle adore les slogans, les tambours, les revendications, les longs défilés, les vacances encombrées, les cris, les embouteillages. Elle pense qu'il y a trop de jours chômés pour des raisons archaïques. Les protestants capitalistes supprimaient les saints et les saintes (que veulent dire ces mots ?), mais il s'agit maintenant d'aller plus loin dans la laïcité et l'égalité. Voulez-vous m'expliquer ce que signifient ces trucs bizarres auxquels plus personne ne comprend rien ? Pâques ? La Pentecôte ? L'Ascension ? L'Assomption ? Bon, on peut garder Noël (commerce) et la Toussaint (les morts). Le reste est superflu, retardataire, et Pâques pourra s'appeler « fête du printemps ». Assez de délires ! En revanche, ne touchez pas aux fêtes des autres religions, puisque toutes les religions se valent. Et ne vous avisez pas d'avoir des doutes sur la circoncision ou l'abattage rituel. Vous doutez ? Vous êtes antisémite ou islamophobe, comme Voltaire.

Time is money, la folie gronde. La contre-folie, elle, prend son temps. Pour quoi ? Pour rien. La rose est sans pourquoi, fleurit parce qu'elle fleurit, n'a aucun souci d'être vue. Mais enfin, on n'est pas là pour élaborer je ne sais quelle philosophie du Jardin ! Les jardins sont publics, réservés aux poussettes et aux mères de famille. Un père, abruti par son dimanche après-midi, en train de pousser un landau, voilà le progrès, la parité, l'humanisme, la folie *raisonnée* normale.

Attention, pas de blague : vous approuvez hautement le mariage pour tous, c'est-à-dire l'abrutissement pour tous et pour toutes, au nom de l'amour, bien sûr. Vous ne voyez pas d'inconvénients à ce que les enfants soient fabriqués, adoptés, toujours par amour. La procréation médicalement assistée (déjà une vieille histoire) vous semble un pas positif sur la Lune, et la gestation pour autrui une preuve, même rétribuée, d'amour pour l'humanité. Ne craignez rien, tout sera de plus en plus calme, discret, furtif, attentionné, comme une euthanasie amoureuse. Naissez, faites naître, occupez-vous de ce qui naît, soyez utile, taisez-vous, mourez.

Un petit garçon de 3 ans déclare un jour au couple de fortes lesbiennes américaines qui l'élève : « Je suis une fille. » Miracle, il a tout compris. Ce nouveau messie n'en démord pas, les psychiatres le fêtent, il doit être acheminé vers son choix émouvant, son destin. À 11 ans, il aura droit à un traitement hormonal pour lui éviter une masculinité fâcheuse. On ne parle pas encore ouvertement de castration, mais chacun sait que le pénis, et ses possibilités, reste un élément perturbateur de la civilisation, une sorte de parasite. Ces deux parentes sont d'avant-garde. On attend la petite fille qui s'exclamera soudain, devant ses deux parents masculins : « Je suis un garçon ! » Suivra, non pas l'ablation, mais la greffe. De toute façon, les recherches convergent : il n'y a pas seulement deux sexes, mais des centaines, et, après des millénaires d'imposture, l'avenir est largement ouvert à toutes les complexités.

Pour l'instant, vous évitez d'être traité de *phobe*. « Homophobe » est devenu une accusation grave et courante, un délit réprimé par la loi. Vous ne vous sentez pas *phobe*, ce qui voudrait dire effrayé par des comportements intimes autres que les vôtres. Les vôtres, d'ailleurs, si je suis bien informé (mais cela reste entre nous), ne font partie d'aucun ensemble connu. Vous seriez donc seul de votre espèce ? Eh oui, et c'est bien là la preuve de votre contre-folie.

L'USINE DES CADAVRES

Je vois que vous n'avez pas l'air convaincu par ma description de la folie humaine, écrite le soir, à *La Riviera*, après de fabuleux couchers de soleil rouge. Je dois donc employer des moyens plus forts, en vous prévenant que tout ce qui va suivre est *vrai* et *prouvé*. Regardez, ça se lit tout seul, et le titre qui convient est *L'Usine des cadavres*.

Une enquête minutieuse porte sur la commercialisation des tissus corporels humains, implants dentaires, crèmes antirides, greffes osseuses, implants mammaires ou péniens. L'être humain est une marchandise, et tous ses organes sont transformables en dollars. La principale usine de retraitement spécial se trouve, comme c'est étrange, en Allemagne. Les principaux pays vendeurs se situent dans les pays ex-communistes de l'Est : Ukraine, République tchèque, Estonie, Russie, Bulgarie, Lettonie, Hongrie, Slovaquie.

Ce recyclage hallucinant et tranquille est en plein essor. Vous pouvez acquérir des actions de sociétés, cotées en Bourse, qui utilisent des cadavres humains comme matière première. Les États-Unis sont le plus gros marché et le plus gros fournisseur dans ce domaine, puisqu'on estime à 2 millions les produits dérivés de tissus humains vendus chaque année, chiffre qui a doublé en l'espace de dix ans, et qui continue son expansion irrésistible.

Vous êtes aveugle, vous pouvez voir, grâce aux implants cornéens. Vous êtes paralysé, mais vous pouvez marcher de nouveau, grâce aux tendons et ligaments utilisés pour la réparation des genoux. La Science, comme Dieu, est miraculeuse, mais les profits sont énormes grâce surtout aux *cadavres frais.* C'est ainsi qu'on retrouve, ici ou là, des décharges ou des morgues, que les spécialistes appellent des « marottes humaines », pleines de cadavres dépouillés de toutes leurs parties réutilisables. Pour dissimuler cette manipulation, les os et les muscles retirés sont remplacés par des morceaux de bois ou des chiffons. Les *chiffonniers* font fortune.

La Slovaquie exporte des tissus de cadavres en Allemagne, les Allemands les exportent en Corée du Sud et aux États-Unis, les Sud-Coréens les envoient au Mexique, les États-Unis en vendent à plus de trente pays. On trouve des distributeurs de produits manufacturés d'origine humaine dans l'Union européenne, en Chine, au Canada, en Thaïlande, en Inde, en Afrique du Sud, au Brésil, en Australie, en Nouvelle-Zélande. Certains distributeurs sont des filiales de multinationales médicamenteuses multimilliardaires. Mondialisation des cadavres, trafic intense, opacité garantie, froideur du récit.

Comme le dit plaisamment un observateur : « Il y a plus de contrôles sur les fruits et légumes que sur les matériaux corporels. » Pour ce qui est des bénéfices, un seul cadavre exempt de pathologie (mais comment en être sûr?) peut rapporter 80000 à 200000 dollars, soit de 65500 à 164000 euros. C'est l'avance que votre éditeur, en vous évaluant comme futur cadavre, devrait vous verser à la signature d'un contrat. Aux États-Unis, un simple récupérateur de cadavres peut gagner jusqu'à 10000 dollars pour chaque corps qu'il arrive à se procurer, grâce à ses contacts dans les hôpitaux, les dépôts mortuaires ou les morgues. Les funérariums peuvent jouer le rôle d'intermédiaires afin d'identifier les donneurs potentiels. On peut aussi payer un hôpital public pour utiliser son service de prélèvements des tissus. Certains chirurgiens, qui procèdent aux transplantations, peuvent simultanément travailler comme consultants auprès de fabricants, comme un ministre de la Santé, n'importe où, peut augmenter ses comptes en Suisse avec des laboratoires pharmaceutiques. Un des conglomérats médicaux a réalisé, en 2011, 11,6 millions de dollars de bénéfices avant impôts pour un chiffre d'affaires de 169 millions de dollars.

La peau et les os sont les bienvenus dans les industries cosmétiques, pour gonfler les lèvres, accroître la taille du pénis ou faire disparaître les rides. Voilà qui donne tout son sens à une expression usée, mais qui se révèle brusquement torride : *le baiser de la mort*. Il est vrai que cette blonde pulpeuse, style Marilyn, vient de vous laisser un drôle de goût dans la bouche.

Quant aux os prélevés sur les cadavres, remplacés par des tubes en plastique avant les funérailles, ils sont débités et façonnés en vis et en boulons utilisés dans des dizaines d'applications orthopédiques ou dentaires. Ou bien ils sont broyés pour obtenir, en les mélangeant avec des produits chimiques, des colles chirurgicales très vantées comme étant de qualité supérieure aux colles artificielles. Quand on vous disait que l'être humain pouvait être supérieurement *collant*! Dans les milieux spécialisés, la colle la plus recherchée a un très joli nom : « la Staline ». Trouvaille d'experts.

Un employé de ce consortium d'un nouveau genre s'exprime ainsi, sans complexes :

« Au fond, ce que nous faisons aux cadavres, c'est quelque chose de très physique, certains diraient même de très grotesque. Nous sortons les os des bras. Nous sortons les os des jambes. Nous ouvrons la poitrine et extrayons le cœur pour accéder aux valvules. Nous retirons les veines de dessous la peau. »

Cette comédie est aussi un sport. Des tendons entiers, soigneusement nettoyés et désinfectés (vous êtes sûrs ?), sont transplantés sur des athlètes pour qu'ils puissent reprendre la compétition. Bonne course, les mecs ! Gloire aux Jeux olympiques !

À force d'accompagner des condamnés à mort (une balle dans la nuque) immédiatement transportés à l'hôpital de retraitement, un Chinois sensible a fini par craquer et raconter son aventure : « C'était à vomir », dit-il. Il a mis un certain temps à vomir.

La folie fabrique les corps et recycle les cadavres. Embryons et cellules souches sont disponibles partout. Vous naissez à l'hôpital, vous mourez à l'hôpital, et ce n'est pas vous qui, le premier, avez comparé l'activité humaine à un « grand hôpital de fous ». Le même auteur insiste : « Les hommes sont si nécessairement fous, que ce serait être fou par un autre tour de folie, de n'être pas fou. » Cet « autre tour de folie » n'est évidemment pas la contre-folie. Chaque chose arrivant à son tour, vous assistez donc ici à une découverte fondamentale. Prenez soin de vous, et évitez un grave accident de voiture sur l'autoroute : certains ambulanciers sont spéciaux, et les demandes cliniques en *morts frais*, de préférence encore palpitants, sont constantes.

BOUCHERIE

L'information circule à flots et s'autodétruit, elle n'est jamais pensée, mais sans cesse recouverte par le verbiage des commentaires « politiques ». Une nouvelle de rien du tout, ou un fait divers, peut comporter plus de pensée possible que dix volumes de sociologues professionnels. Veillez, écoutez attentivement l'indifférence générale. Après l'Usine des cadavres, voici celle de l'Obsession sexuelle. Elle a ses nouvelles techniques. Voyons ça.

Un magazine vous l'annonce fièrement : sur G+++, 7 millions de messages sont échangés tous les jours pour trouver un partenaire sans palabres. Ces échanges concernent l'application géolocalisée, pour faciliter les rencontres, entre homosexuels et bisexuels. Aux États-Unis, 1,5 million d'abonnés, 560 000 en Grande-Bretagne, 260 000 en France, dont 200 000 à Paris. Ce n'est qu'un début. Messages, photos, endroit le plus rapproché, satisfaction immédiate. Le fondateur de ce supermarché mondial instantané a 35 ans, il est né en Israël, avant d'émigrer à New York, à l'âge de 3 ans, avec sa famille. Son truc fait un tabac. L'utilisateur, dit un abonné lyrique, est « comme un animal dans la savane qui voit ses proies tout autour ».

D'autres, plus prosaïques, évoquent un « fast-food », voire une « boucherie ». Il s'agit de trouver des partenaires à deux pas de chez soi, « pour du fun entre mecs ». Depuis New York, le renseignement demandé peut atteindre n'importe quel arrondissement de Paris ou de sa banlieue, transformé ainsi en « savane ». « Je déteste parler pendant des heures, dit un utilisateur, j'ai besoin de consommer tout de suite et de rester dans le superficiel... Il y a un côté mécanique qui rend les choses très simples. Cela correspond sans doute à l'évolution de notre société et des relations entre les gens. »

Le smartphone est roi. « Le fantasme d'une vie sexuelle flamboyante devient accessible à tous... On perd l'habitude des échanges classiques... Ça devient une habitude, tu te balades, tu prends ton téléphone, tu lances l'appel, tu reçois trois messages. Ça flatte l'ego... Les gens deviennent asociaux, ils sont sans arrêt sur leur téléphone... C'est comme une drogue, je voudrais arrêter, mais je n'y arrive pas... Tu te sens seul, tu ne te prends pas la tête, tu y vas. Tout ce qui est difficile dans la création et l'entretien d'une relation est évacué... Moi aussi, je veux tout, tout de suite !... Rendez-vous au prochain parking, et voilà. »

Pourquoi ce charmant drogué dit-il que « les gens deviennent asociaux » ? Comble du social, au contraire.

Inutile de préciser que les femmes ne font pas leur marché de cette façon, et que les hétéros mâles sont renvoyés à des sites plus classiques, lourds et barbants. Les femmes ont mille fois raison de se plaindre du harcèlement sexuel, dans les rues, les transports en commun, les bureaux, ou ailleurs. La solution est simple : éduquer les hommes à l'homosexualité rapide, leur permettre ainsi de décharger leur électricité sans embêter leurs employées, les consommatrices, leurs voisines ou les femmes de leurs amis. L'appel à la stricte observance conjugale sera-t-il entendu ? Cela paraît difficile, mais un homosexuel marié et père de famille pourra, s'il le veut, s'éclater sans problème dans son quartier. Vous me dites que, pour les hétéros, il y a la prostitution féminine. Sans doute, mais elle sera, heureusement, de plus en plus interdite, et, à moins d'en avoir les moyens exorbitants (un poste au Fonds Monétaire International, par exemple), les escort-girls seront de plus en plus hors de prix.

Quoi qu'il en soit, l'émetteur cosmo-gay est une invention de génie. Proust, au lieu de se rendre aux séances toujours un peu *forcées* de Jupien, délaissera sa

Recherche du temps perdu pour son smartphone, et recevra chez lui, à tour de bras, des jeunes militaires de passage, à qui il demandera simplement de l'appeler « mon saint loup ». Il est vrai qu'il a des manies un peu particulières, mais bon, l'abondance et la gratuité des occasions l'emporteront de loin sur le temps retrouvé. Sa seule exigence sera de faire raconter leurs dragages à ses partenaires. Après quoi, il rejoindra sa vraie passion, le sommeil. « Certes, on peut prétendre qu'il n'y a qu'un temps, pour la futile raison que c'est en regardant la pendule qu'on a constaté n'être qu'un quart d'heure ce qu'on avait cru une journée. Mais au moment où on le constate, on est justement un homme éveillé, plongé dans le temps des hommes éveillés, on a déserté l'autre temps. Peut-être même plus qu'un autre temps : une autre vie. »

MARIAGE

Ce samedi matin, dans mon petit appartement de Venise, à côté de *La Riviera*, j'ai rendez-vous avec Ada pour un vrai massage. J'aime l'attendre en regardant par la fenêtre, c'est le meilleur moment, en me demandant si elle apparaîtra, au coin de la ruelle, en pantalons ou en jupe. Pantalons, ça veut dire nous n'irons pas plus loin, jupe : oui, je suis nue dessous, vous pourrez me caresser sans problème. Le toucher long et profond est la forme supérieure de l'amour. Rien à voir avec la masturbation, la fellation, la pénétration fatigante, la sodomie rapide, le « fast-food » ou la « boucherie ». Question de temps repris au sommeil, et même à la mort.

Ici, la partenaire est unique et toujours nouvelle, elle va vous chercher comme si vous étiez son enfant, et, en effet, vous l'êtes, vous jouissez à fond de votre mère silencieuse et forte, jeune géante qui vous retourne dans tous les sens. Ada n'est pas grande, mais l'intensité de ses mains, venant d'en haut, pourrait laisser supposer qu'elle mesure 2 ou 3 mètres. Elle m'écrase, elle me vibre, elle me tue, elle *m'élague.* C'est le printemps.

Et voilà : Loretta se marie, elle a trouvé chaussure à son pied, un solide garçon qui prendra la place du vieux à *La Riviera.* Je l'ai déjà vu plusieurs fois partir en bateau avec Loretta, le soir. Il est grand, brun, sympathique, très gondolier, il vient se présenter, il m'appelle « professore », tout est dans l'ordre. Il aime sa jolie fiancée, il sait cuisiner. Me voilà rassuré pour les mois et les années qui viennent, et l'excitation de Lo fait plaisir à voir. Le vieux, lui, regarde les bateaux d'un autre œil. Il sait qu'il va mourir, et que, déjà, un drap noir et des fleurs le recouvrent.

Il fait très beau, et le mariage a lieu à l'église San Trovaso. J'ai préparé mon petit sac de riz pour les poignées à jeter sur ces nouveaux passagers des ennuis de la vie. Loretta est toute en blanc, elle joue à fond dans le film, le type, lui, Gianni, est un peu emprunté, il n'a pas l'habitude du spectacle. Loretta, au contraire, voit des caméras partout, la scène passe sûrement à la télé. Est-ce qu'elle est enceinte ? C'est probable, la précipitation de la cérémonie semble le prouver. Les enfants sont bien entendu des anges, comme dans la peinture. Les filles et les mères, sourdement jalouses, jouent parfaitement l'émotion. Le marié a l'air un peu con, il sait que ses copains se foutent de sa gueule. Le curé, imposant et morne, fait son travail. L'assistance est endimanchée, ce n'est pas tous les jours que les femmes peuvent montrer leurs chapeaux, leurs toilettes. L'organiste se déchaîne, il est inspiré, il fait vivre les Tintoret, on l'entend jusqu'à la petite place avec son puits du 16e siècle. Les mariages, ici, ont toujours un grand succès, les baptêmes moins, les enterrements pas vraiment.

Les voilà, les voilà, les cloches sonnent, les photos crépitent, les applaudissements chassent les mouettes du quai. Je prends une poignée de riz, je la jette avec ma bénédiction spermatique sur Loretta qui me sourit et me fait de l'œil comme si je légitimais son union terrestre. Attention, le mariage, ici, est resté sérieux, l'Église s'éclipse au bord de la chambre à coucher et après, la nuit, ou l'après-midi, c'est le Diable. Loretta trompera son mari plus tard, après un deuxième enfant, et dans un autre quartier (il y a, comme ça, au moins cinquante villes dans la ville). Quant à lui, surchargé de travail, il n'aura pas beaucoup d'occasions dans la province profonde.

Loretta et le vieux ont bien fait les choses, la mère et les sœurs du mari aussi. Grandes tables en longueur, champagne, vin, charcuterie, poissons, petit orchestre avec accordéon et chanteur, un des meilleurs de la nuit. Le chanteur ne cherche pas l'effet touristique des gondoles, il veut étonner ses amis. Quelques badauds yankees, venus des paquebots à l'ancre, s'arrêtent, ahuris. Ils sont obèses et laids, mais la grâce de la fête les anoblit. Les mouettes ont repris leur manège, on leur jette du pain sur l'eau, elles foncent et se battent en criant pour l'avoir. Bon, ça ira comme ça. J'embrasse Loretta, je remonte chez moi, sieste méritée, rêves.

Le lendemain, Loretta n'est plus là, elle est partie faire un tour avec son mari à Rome. Elle revient dans dix jours, me dit le vieux. « C'est la vie. » Je lui dis que la fête était très réussie, et il me répète : « C'est la vie. » Je bois mon café au soleil, je vois passer mon remorqueur noir et blanc préféré, le *Pardus*. C'est un jour de mai comme un autre, dans cette belle ville inconnue, Venise.

Au fond, j'ai recréé ici un rêve enfantin. Tout le monde est parti, je reste seul dans les maisons, je vais de pièce en pièce en célébrant le silence. La grande différence, c'est la vie du port, les variations colorées de l'eau. Je veux bien être une particule issue d'une conflagration multimillénaire, un *boson*, si l'on veut, ma main parle, elle s'adresse à moi depuis plusieurs endroits à la fois. On n'écrit pas à 12 ans, mais il vaut mieux être resté à l'âge de 12 ans pour écrire. Tout revient vers vous sur des pattes de colombe, le présent remercie le passé, l'avenir est au bout d'une phrase, les morts vous sourient, un vent doux chasse vos soucis.

La chance est une divinité capricieuse, large et lente, un grand escalier à perte de vue. Ada, le vieux, Loretta, Gianni m'acceptent comme un animal tranquille, une tortue qui ne les dérange pas. Je pourrais mourir dans ma chambre, Loretta pousserait un grand cri en venant faire le ménage, et Gianni, croyant que j'ai eu une crise cardiaque en voulant baiser sa femme, jetterait mon corps, furieux, dans le canal. Quelle ne serait pas la surprise des riverains de me voir remonter à la surface sous forme de carapace portant des signes d'écriture indéchiffrable, aussitôt transmise à un musée pour une expertise scientifique ! C'est du chinois ? Non. Du français ? On vérifiera.

ART

Matin bleu, dose correcte. Les larges et lents escaliers de la chance, mais oui, je les connais, ce sont ceux de ma jeunesse, à Versailles. Le Roi se promène dans le parc, suivi, à distance respectueuse, de toute la Cour. On entendrait respirer une carpe, ou, parfois, à l'intérieur, quand le Roi est en colère, « une fourmi marcher ». Ce n'est pas moi qui parle, mais Saint-Simon penché jour et nuit sur son manuscrit posthume. Je le vois d'ici, le petit duc, il pense à ce qui est arrivé la veille à Madame de Charlus, dont la perruque a pris feu et qui a failli s'embraser tout entière. Quelqu'un l'a déperruquée pour la sauver, et on a vu apparaître son crâne chauve et sale. Tout le monde a ri, sauf elle.

C'est une grande joueuse, Mme de Charlus, elle ne pense qu'à ça. « Elle aurait percé les nuits les pieds dans l'eau », écrit le duc. « Percer la nuit », c'est jouer jusqu'à l'aube. La comtesse de Fürstenberg, par exemple, était une joueuse effrénée, « elle perçait les nuits chez elle ou ailleurs, et y faisait le tour du cadran ». Les jeux de l'époque ont disparu, disons poker, pour que le lecteur comprenne. Matin bleu, donc. J'ai percé la nuit dans ma tête. Tiens, voici la princesse de Montauban : « Elle passait sa vie au gros jeu et en débauches qui lui coûtaient beaucoup d'argent. » Mais qui est-ce ? « Rien de si effronté, de si débordé, de si avare, de si étrangement méchant, que cette espèce de monstre, avec beaucoup d'esprit et du plus mauvais, et toutefois de l'agrément quand elle voulait plaire. » Tiens, voici maintenant un squelette féminin gracieux, entouré de moutons. Elle n'a plus de tête, mais elle n'en sait rien. On l'appelle Marie-Antoinette.

Le squelette devant moi me sourit, et s'approche pour m'embrasser. C'est Loretta, bien sûr, je la reconnais au moment où elle récupère son visage. « C'était bien, Rome ? – Génial. » Tant mieux, mais son expression dit le contraire. Un mari tout le temps sur le dos, quel boulot ! Baiser tous les jours, voire toutes les nuits dans le même lit, c'est l'enfer habituel des couples, et, après tout, c'est peut-être lui qui s'ennuie.

Plutôt qu'à Rome, Loretta aurait dû emmener son mari à Hongkong, pour vérifier que l'art contemporain prolifère partout, et ne souille pas que Venise. Une photo choc vient de paraître dans toute la presse occidentale : une jeune et jolie Chinoise brandit là-bas une pancarte qui hurle en lettres capitales MONEY CREATES TASTE ! C'est la nouvelle Table de la Loi. Si l'argent crée le goût, n'importe quel milliardaire en a, et doit se précipiter sur les milliers de croûtes ou d'installations à vendre. La devise de ce nouvel Eldorado est flambante : SWAG, Silver-Wine-Art-Gold. De l'argent, du vin, de l'art, de l'or. SWAG ! Le vin (surtout celui de Bordeaux) fait là une percée fracassante. Une de mes nièces, basée à Shanghai, me tient au courant.

Mais enfin, pauvres ignorants, vous ne connaissez pas « Gago » ? Gago, voyons, autrement dit Larry Gagosian, 67 ans, le roi du marché de l'art, né à Los Angeles ! Gago, le type qu'on voit partout surveiller les enchères, cheveux courts argentés, carrure virile, surnommé « le Requin blanc », comme son confrère, roi des agents littéraires, est appelé « le Chacal », et son ambitieuse consœur anglaise « la Bête ». Le Requin, le Chacal, la Bête, les peintres et les écrivains n'ont qu'à bien se tenir ! Gago est un adepte du triple A, Art, Adrénaline, Argent. L'art est sa passion depuis toujours, et vous pouvez ajouter encore un A, Avion, puisqu'il n'arrête pas de passer d'un pays à l'autre, avec des escales significatives dans les Émirats, à l'ombre.

Le slogan de Gago est simple : « There is no business like art business. » Au moins, c'est clair. Il est sympathique, séduisant, direct, on a l'impression qu'il sort d'un western de la grande époque. Il aime les peintres (il en a au moins 40 sous la main), les voitures, et, par-dessus tout, Picasso, l'« artiste absolu ». Comment peut-il en même temps vendre autant de déchets ? Question idiote, vendre est américain, penser non. Picasso vaut très cher, donc c'est un grand peintre sur le vrai marché, celui de la longue durée. On achète de l'argent avec de l'art qu'on revend en argent pour acheter de l'art, et ainsi de suite.

Il faut un flair d'enfer pour deviner, anticiper, filer à l'aéroport, programmer les fluctuations du marché de surface. Gago est un shérif de premier ordre. Décider qu'un type de 30 ans est un nouveau génie, et bientôt l'égal de Picasso, est un travail à plein temps, puisqu'on vend l'artiste et sa biographie en même temps que sa production. Il n'est pas mort suicidé, l'artiste, mais c'est tout comme (certains peuvent disparaître du jour au lendemain si Gago les laisse tomber). *La Traite* de l'Art est une invention pour gogos, et ça marche sur une grande échelle. Vendez-nous des âmes, quoi.

Je vais contacter Gago pour lui parler de Picasso. Il m'écoutera, c'est certain, et il m'engagera pour des interventions au Qatar. J'inventerai des trucs, par exemple que, dans sa période cubiste la plus audacieuse, Picasso pensait sérieusement à devenir musulman. Tout le prouve : sa ferveur, sa recherche d'une quatrième dimension, ses prières, incessantes, torse nu, dans son atelier, en direction de La Mecque (et pas de Malaga, comme tout le monde l'a cru). Pas question de femmes nues, elles sont d'ailleurs de moins en moins à la mode. Une compagnie aérienne vient d'être obligée d'en voiler une, à l'arrivée de l'aéroport de Dubai, à cause des réclamations indignées des clients. Pas question non plus de courses de taureaux, et autres rituels païens, ces ignobles scènes de cruauté, heureusement interdites, à l'heure qu'il est, en Espagne. *Picasso et l'Islam*, voilà un livre qui fera du bruit.

J'admire Gago, il est bien de son temps. Avec Lady Gaga et Lord Gago, la culture contemporaine est au top de la folie ambiante. Le pétrole booste l'art planétaire, l'installe à Versailles, au Louvre, bientôt à Notre-Dame de Paris, au Colisée de Rome, au Parthénon ou au Vatican. Des mosquées géantes poussent comme des champignons dans toutes les banlieues du monde. De grands autodafés brûlent les œuvres idolâtres, les amoncellements obscènes du paganisme antérieur, Vierges à l'enfant, annonciations, crucifixions, résurrections, ascensions, assomptions, partent en fumée, pour la plus grande gloire de Walhallah le prophète. Ce n'est qu'un début, d'autres professionnels sont déjà à l'affût.

Un principe de discrétion couvre toutes les opérations d'art. L'Art Dealers Association of America s'inquiète des contrôles trop poussés ou des perquisitions des douanes. Il faut dire qu'il y a des surprises : une malle, en provenance de Londres, arrive à New York, avec une espèce de barbouillage sans valeur et une facture de 100 dollars. Il s'agit en réalité de *Hannibal*, une toile du martyr Jean-Michel Basquiat, estimée à 8 millions de dollars. Tout le monde sait que, les techniques traditionnelles de blanchiment d'argent étant passées au peigne fin, les trafiquants de drogue et les marchands d'armes se sont tournés vers le marché de l'art, qui s'avère bien plus opaque.

Ce marché noir se prête parfaitement à ce genre de pratiques, puisque des ventes en millions de dollars ont lieu en secret, et ne font l'objet de quasiment aucun contrôle. En clair, cela signifie qu'une transaction peut avoir lieu dans laquelle le vendeur et l'acquéreur sont répertoriés sous la dénomination de « collection privée », et le tour est joué. Au cours de son voyage, le peinturlurage *Hannibal* de Basquiat est passé entre les mains de quatre agents maritimes dans deux pays différents, avant d'atterrir à l'aéroport international J. F. Kennedy. Beaucoup des convoyeurs ont dû se dire que 100 dollars, c'était quand même beaucoup pour une telle bricole.

Ada a dû faire du bateau toute la journée, elle est nette, ensoleillée, *en jupe.* Cette fois, elle change de tactique, elle est pressée de se débarrasser de moi, on verra la suite du massage après. Elle commence comme d'habitude par les pieds, qui rayonnent dans toute la végétation nerveuse, elle m'embrasse à fond, elle a faim, elle insiste, sa main droite agit, elle m'emporte. Elle a sûrement subi une initiation chamanique quelque part dans le lointain Caucase, ou ailleurs. Voilà, le massage peut reprendre dans une autre dimension fluide, au fond du sommeil. Elle me dessine un autre dos, d'autres bras, d'autres mains. Ses yeux bleus deviennent plus sombres, son sourire plus indulgent. Après une montée vertébrale appuyée, elle m'embrasse du bout des lèvres, et « c'est tout ». La séance a duré 35 minutes, et le plus étonnant, avec elle, c'est sa disparition presque immédiate, petit geste de la main, sourire, « bonne soirée », *ni vue ni connue.*

Je pense à toutes les femmes qui ont un secret à garder, combien de millions, en ce moment sur la planète, elles ont une invisibilité spéciale. Je ne sais rien de la vie d'Ada, elle a ses clients, ses clientes, et, si je peux en témoigner, ses *extras*. Deux ou trois fois, elle m'a dit, en français, « je t'aime », et, vrai ou faux, c'était vrai. Apparitions, disparitions, voilà l'art du temps devenu danse. Ma main droite est plus assurée après son passage, on dirait que l'encre la remercie. Le corps bien massé s'énonce clairement, les mots pour le dire arrivent aisément.

Ils nous gonflent, les écrivains, avec leurs problèmes d'écriture. Ce sont, tous et toutes, des petits-bourgeois confinés dans leurs cagibis psycho-sexuels, vous les sortez de là, vous les transportez ici, ils sont éblouis, ils ne voient plus rien, ils titubent. De toute façon, comme les prisonniers de Platon, ils ne perçoivent plus que des images confuses, ils respirent dans le cinéma, la Nature leur est hostile, ils se sentent récusés par tous les marins. L'incessante flottille des mouettes passe sur ces aveugles, un moineau les effraye, un lézard leur échappera toujours. Le vent change de direction ? Ils l'ignorent. Une fleur tente de leur dire son nom ? Ils sont sourds. Ils n'ont aucune idée de ce que Loretta ou Ada trafiquent, ni de l'intimité de leur jolie voisine qu'ils voient tous les jours. Leurs ordinateurs sont indifférents à la circulation sanguine des phrases, et ils croient avoir une mémoire en consultant les sites spécialisés. Ils n'ont aucun respect pour l'énorme foule des morts. Ils comptent leur argent, et ils le recomptent.

Saint-Simon, lui, est d'une discipline effrayante. Pas la moindre aventure sensuelle dans son emploi du temps surchargé. Deux ou trois morts à chaque page, il pousse la porte-tambour permanente sur le vide sans au-delà. Un exemple, presque au hasard :

« Toute sa vie, il fut galant jusque dans sa vieillesse ; il y a lieu de juger qu'il en mourut : il se trouva fort mal après avoir mis une paire de gants, et mourut brusquement avec des symptômes qui persuadèrent qu'il avait été empoisonné. Il était mal avec sa femme depuis assez longtemps, qui vivait fort obscure. »

En ce temps-là, on mourait assez vite en mettant des gants ou des bottes, et le poison était d'un usage constant.

L'avantage du français, c'est sa concision et sa commotion. Il n'est pas fait pour communiquer, mais pour dégager, abréger, juger et tuer. Ses origines sont logiques et mathématiques, c'est la langue du raisonnement redoublé, désormais noyé dans l'anglais basique. Un jour, comme il le fait souvent, Saint-Simon reproche au Régent sa vie de débauche. L'autre s'énerve, et lui dit : « Vous êtes immuable comme Dieu, et d'une suite enragée. » Dieu est mort, c'est entendu, mais il avait quand même grande allure.

Voici Monseigneur, c'est-à-dire, aujourd'hui, le *Français courant* :

« Il était sans vice ni vertu, sans lumières ni connaissances quelconques, radicalement incapable d'en acquérir, très paresseux, sans imagination ni production, sans goût, sans choix, sans discernement, né pour l'ennui qu'il communiquait aux autres, et pour être une boule roulante au hasard par l'impulsion d'autrui, opiniâtre et petit en tout à l'excès, une incroyable facilité à se prévenir et à tout croire, livré aux plus pernicieuses mains, incapable de s'en sortir et de s'en apercevoir, absorbé dans sa graisse et dans ses ténèbres, et, sans avoir aucune volonté de mal faire, il eût été un roi pernicieux. »

Vous voulez plus ramassé ?

« Il était sans esprit aucun, et gueux comme un rat d'église. »

Ou bien :

« Le reste de sa vie ne fut plus qu'amertume, regrets et mépris. »

Ou encore :

« Outre qu'il était méchant, il était malin encore, et persécutait jusqu'aux enfers quand il en voulait aux gens. »

Cela dit, Saint-Simon, en bon romancier, sait dorer la pilule à poison. La Dauphine, par exemple, va être empoisonnée, comme le Dauphin (le Régent sera accusé de ce double assassinat qui le portera au pouvoir), ce qui provoque une consternation générale. Pourtant, elle est « régulièrement laide, les joues pendantes, le front trop avancé, un nez qui ne disait rien, de grosses lèvres mordantes, peu de dents et toutes pourries, le cou long avec un soupçon de goitre... ».

Sans doute, mais :

« Une taille longue, ronde, menue, aisée, parfaitement coupée, une marche de déesse sur les nuées... »

Et voici la dorure :

« Avec elle, s'éclipsèrent joie, plaisirs, amusements même, et toutes espèces de grâces. Les ténèbres couvrirent toute la surface de la cour. Elle l'animait tout entière; elle en remplissait tous les lieux à la fois; elle y occupait tout; elle en pénétrait tout l'intérieur. Si la cour subsista après elle, ce ne fut plus que pour languir... »

Quand j'arrive ici, dans le retrait, la lenteur, l'obscur, tout va très vite. Je n'ai pas à m'occuper de ce qui va surgir, ma plume glisse, elle trace les mots. Je prends ma dose le matin, l'effet est immédiat, j'entre dans la progression du soleil au-dessus des toits, l'espace se fait sentir comme sans limites. En même temps, j'emmène dix nuits avec moi, un sac de chaos qui, peu à peu, s'effrite. Le problème, ensuite, est de surplomber son corps, de le voir en train d'être là, de prévoir ses gestes. Ça y est, maintenant, plus de corps, vaporisation intense. Comme chaque fois, les couleurs sont les premières à parler, le rouge sombre, le vert pâle ou le jaune clair des palais me font signe. C'est le moment de se contrôler, de prendre un bateau et de partir au large. La lagune est pleine de ces échappées.

Je reste en mer, les visions se multiplient sur l'eau. La mémoire est liquide, il faut la favoriser dans ses pulsations de sérénité, puisque la mauvaise mémoire n'a que trop tendance à envahir la scène. La mauvaise mémoire, ce sont les autres, et surtout soi au milieu des autres, l'usure, le bavardage. Au large, immobile, chaque minute dure des heures en rafales. J'ai tous les âges, il n'y a plus d'« âge », les chambres et les jardins se confondent, la musique joue sa partition. J'avais oublié ce détail, ce rebord de fenêtre donnant sur la rue, cette décision, un après-midi pluvieux, d'être là, vraiment là, une fois pour toutes. Impossible ? Mais non.

Ma contre-folie me parle : si j'existe une fois, j'existe toujours. Maintenant, en plein soleil sur l'eau, loin de la ville, je parcours des villes en accéléré, le jour, la nuit, le printemps, l'automne, l'été, l'hiver. Je suis en taxi, en train, en avion, dans un autobus, et de nouveau dans ce bateau, avec son clapotis régulier et neutre. J'aperçois à peine, au loin, le Campanile éclipsé par la brume. Quelle heure est-il ? J'ai du mal à fixer ma montre, j'ai l'impression que les aiguilles tournent à toute allure, et dans les deux sens. C'est la descente, avec ses hallucinations prévues, scènes de dévorations sanglantes, fourmillement venimeux d'insectes. Voilà, ça va mieux : j'ai dû partir vers 10 heures du matin, et il est 6 heures de l'après-midi. J'ai dormi au moins trois heures, mais dormir ou être éveillé, dans cette dimension, c'est souvent du pareil au même. Enfin, il faut rentrer, Loretta m'attend pour dîner, je dois faire un effort pour la reconnaître, mais elle ne semble avoir aucun doute sur mon identité. « Bonne promenade ? – Pas mal. »

À part Saint-Simon et les classiques chinois, je ne lis plus que les journaux et les dictionnaires. Les journaux disent tout, malgré eux, sur l'état de la société, les dictionnaires, surtout pour les noms propres, ouvrent sur des continents entiers. On peut y passer des heures en allant d'une lettre à l'autre, en voyant s'entrecroiser l'histoire des sciences, des pays, des guerres, des royaumes, des arts. Les *visages* sont importants, vignettes de peintures, photos couleurs ou noir et blanc, ils sont tous là, ils s'imposent, Staline comme Molière, Hitler comme Marivaux. Le rouleau compresseur du temps est impitoyable, il égalise tout, les dates sont chaque fois des surprises, les cartes changent, les croquis vous entraînent dans des rêveries infinies. Une bonne dose d'un bon produit, et cinq ou six dictionnaires, vous pouvez passer votre vie dans une île déserte, pas une minute d'ennui.

Avec les journaux et les faits divers, vous vérifiez qu'il y a bel et bien une folie humaine, une puissante contre-nature à l'œuvre, que des tonnes de culture, de plus en plus avariée, n'arrivent pas à canaliser. Les assassinats restent des assassinats, la corruption ne bouge pas d'un millimètre, la planète est une province de passions minuscules. De là, vous retournez aux dictionnaires, vous précisez le sujet qui vous intéresse, je ne sais pas, moi, la guerre de Cent Ans, la lutte à mort entre les Armagnacs et les Bourguignons, la victoire du Prince

Noir anglais à Poitiers, en 1356, la présence anglaise en France, dont il ne faut pas parler aux Français, sinon, de droite comme de gauche, ils vous lancent à la figure des petites statuettes de Jeanne d'Arc ou de Napoléon.

Vous avez beau leur parler d'Aliénor d'Aquitaine, de Bordeaux, de la bouteille de « claret » que Shakespeare avalait chaque soir avant de monter en scène, peine perdue. Vous essayez Charles d'Orléans, au 15e siècle, un Armagnac, celui-là, dont le père a été assassiné par les Bourguignons, et qui, arrêté à Azincourt, est resté 25 ans prisonnier en Angleterre, a épousé à son retour Marie de Clèves, a tenu à Blois une cour raffinée, et, surtout, a écrit des poèmes parmi les plus beaux de la langue française (rondeaux, ballades), rien, aucune réaction. Surdité totale pour les troubadours, Bernard de Ventadour, Guillaume IX, et j'en passe, tous ces musiciens errants, tricheurs de femmes et envoyés spéciaux du néant.

Vous revenez à Saint-Simon, à sa nécropole agitée et vibrante, au cœur de l'Histoire mondiale notée sur le vif, et vous n'êtes jamais déçu, les généalogies s'embrasent, les phrases se tordent à travers les murs, les souterrains, les chambres. Exemple, entre mille, cet ouragan du 2 février 1701 :

« Cet ouragan a été l'époque du grand dérangement des saisons et de la fréquence des grands vents en toutes, le froid de tout temps, la pluie, etc., ont été bien plus ordinaires depuis, et ces mauvais temps n'ont fait qu'augmenter jusqu'à présent, de sorte qu'il y a longtemps qu'il n'y a plus du tout de printemps, peu d'automnes, et, pour l'été, quelques jours par-ci par-là. C'est de quoi exercer les astronomes. »

Les astronomes s'exercent, échouent à expliquer le réchauffement climatique, la fonte des glaciers et des icebergs, la noyade des ours, l'hostilité évidente d'un mauvais temps continu. Pourtant, ils sont allés sur la Lune, ont planté leurs appareils sur Mars, pendant que les trous noirs gardent leurs secrets dans les tourbillons galactiques. Voyez le petit duc passer sous la pluie en 1701, mais plus de 300 ans après, c'est vexant, la Nature n'en fait qu'à sa tête. Bon, vous quittez l'inépuisable Saint-Simon avec sa bougie, et vous passez aux classiques chinois, qui, peut-être, vous feront mieux comprendre le système nerveux, inconnu d'eux-mêmes, des nouveaux occupants des lieux.

PHILOSOPHES

Pour vous amuser, vous évoquez une série de fous surprenants : les philosophes. De même qu'elles ont été, autrefois, plus ou moins amoureuse des curés, les femmes aiment bien ces nouveaux surveillants, qui incarnent, pour elles, un peu de stabilité et de retenue en ce monde. Même s'ils sont gays, ils sont nimbés d'un mystère qui ne peut être que le leur. Il n'est pas impossible que Loretta ou Ada, en m'entendant appeler « professore » par le vieux, imaginent que je suis philosophe, beaucoup plus crédible que le curé du coin ou le pape, et, d'une certaine façon, elles n'ont pas tort. Je ne peins pas, je ne joue pas de piano, je lis décidément beaucoup, donc je pense. Et à quoi peut penser un philosophe, sinon au mystère féminin ?

J'ai connu, et parfois bien connu, le clergé des philosophes de mon époque. Ils ont tous eu tendance à m'adopter comme leur disciple préféré, très décevant, en définitive, puisque toujours prêt à s'embarquer dans des histoires de femmes compliquées. Ils en ont, eux aussi, des femmes, mais c'est là que leur folie apparaît. Leurs épouses sont ternes, leurs maîtresses plutôt cinglées, ils ont l'air de somnambules entourés de dévotes. J'en ai vu plusieurs collectionner des étudiantes qui n'en demandaient pas tant, d'autres affoler des ambitieuses littéraires, d'autres encore devenir le divan de leurs patientes solidement propriétaires de leur fauteuil. Le philosophe *français*, aussi loin de ses glorieux prédécesseurs que la Terre du Soleil, a été le plus souvent déguisé en Allemand, comme s'il était obligé de se traduire lui-même de cette langue. Mais, soudain, le charabia compliqué n'a plus impressionné les couvents. Le philosophe s'est donc mis à faire tout simplement la morale, et à ranimer les bons sentiments. Du succès, oui, mais, de plus en plus, provincial.

Pas de mauvaises pensées, surtout, elles feraient fuir le rêve, l'idéal, l'ineffable, les *ouailles*, les directeurs ou les directrices de magazines, les journalistes rassises, la nervure d'une société en crise qui a besoin d'être rassurée. Une seule exception est tolérée, parmi « les penseurs qui comptent » : le prêcheur d'apocalypse. Sinon, le philosophe d'élevage est prié de réciter le vrai sans danger.

L'Université, ou ce qu'il en reste, continue, vaille que vaille, à remplir les mangeoires simplifiées, les râteliers exsangues. Un philosophe correct aura droit à des portraits flatteurs, il pourra écrire dans les journaux, passer à la radio et à la télé de façon didactique, mesurée, patiente. Il donnera son avis sur tout, et, pourvu qu'il ait un certain charme (le minois compte beaucoup), il sera régulièrement employé. Il juge sévèrement les incivilités et les absurdités de notre époque, il descend directement du ciel des idées. Inutile de dire qu'il réhabilite l'amour, la fidélité, l'humanisme sous toutes ses formes. Il n'est pas de laideur, en art, dont il ne puisse justifier l'originalité et l'authenticité. Il est en service commandé.

Cette folie, douce et féroce, fonctionne 24 heures sur 24, par éditorialistes interposés et rémunérés. Ce flux continu vous submerge, l'homme a des droits, on devrait même dire des droits d'auteur. La Troisième

République, en France, n'a jamais cessé d'être. Il y a eu des catastrophes, certes, mais elles sont réparées. La France profonde vous interpelle : sachez lui convenir, ou dégagez. Ce n'est pas pour rien qu'on l'a appelée « la République des professeurs ». Il n'y a plus de professeurs dignes de ce nom, plus d'instituteurs ni d'institutrices, mais le pli est resté. Mes anciens amis philosophes seraient ahuris de m'entendre nommer « professore » par une belle Italienne récemment mariée.

Un philosophe à *La Riviera*? Sûrement pas, il est en conférence à l'étranger, ou dans des colloques. Il participe à des tables rondes, à des séminaires sur les grands sujets. Il organise des expositions commémoratives en hommage à une ancienne révolte recadrée. Il écrit des préfaces d'animation culturelle, tandis que les plus modestes sont convoqués pour parler dans des croisières sur la Méditerranée. Le philosophe est au service des pauvres, mais aussi des riches, il n'a pas de préjugés, la pensée n'en a pas, elle est naturellement démocrate, sociable. Elle huile les rouages de l'être-ensemble, elle se réfère souvent aux *gens*, comme si cette espèce existait.

Voltaire, ce misogyne homophobe et antisémite, n'est pas prévu dans les croisières. *Candide* est à l'Index, avec quelques autres pointures dont il vaut mieux ne pas citer les noms. Le Saint-Office n'officie plus, mais le Laïcat progressiste veille. L'esprit, l'humour, l'ironie, le second degré, la désinvolture sont strictement surveillés, alors que la dérision, le rire gras, la blague sexuelle vulgaire prolifèrent. Personne n'oserait dire à un philosophe qu'il est vulgaire, pas plus qu'on ne se serait permis, dans les temps anciens, de qualifier ainsi un évêque ou un archevêque. Si vous en insultez un, vous avez toute la corporation sur le dos. Ils se détestent entre eux, d'accord, mais, à la moindre alerte, ils font bloc. Leurs corps s'entendent avec des antennes spéciales, comme celle de la communauté inavouable des flics, des mères, des banquiers. Attention à une vérification d'identité : « Professore ? Vous rigolez ? »

Parallèlement au philosophe abruti moralisant, l'écrivain ou l'artiste *taré* sera à l'honneur. Entendons-nous : le *taré* est un fou plus prononcé que les autres, sa défectuosité est donc une qualité. Il ne s'agit pas de célébrer contre lui une « santé » imaginaire, comme l'ont fait les régimes totalitaires (masses physiques, peintures et sculptures absurdes, hurlements cadencés). Le taré incarne la folie courante, il fait de sa tare un produit de beauté. Une exposition d'art taré sera très suivie, un roman profondément taré, à base de tare sexuelle, connaîtra immédiatement la meilleure des publicités. Le taré d'aujourd'hui n'a rien à voir avec celui que stigmatisaient les dictateurs. Il est normal, confortable, actif, astucieux, opportuniste, allumé. La *tarée* le rattrape déjà dans les sondages. Enfin une folle qui ose, sans complexe, se manifester comme folle. Les émissions les plus écoutées ou les plus regardées ont déjà toutes pour titre : « Tarés, et fiers de l'être ». C'est la mode. On voit le progrès.

On publie de plus en plus, ou plutôt on *poublie.* Aussitôt imprimé, aussitôt oublié. Les tweets, les blogs donnent à chacun et chacune la possibilité d'exhiber, en quelques mots, la folie normalisée. Les livres sont devenus de drôles de machins visqueux, enfances malheureuses, enfers familiaux, délires sentimentaux, demandes essoufflées d'amour. Ça ne se vend pas, mais peu importe. Une telle surproduction prouve la bonne volonté démocratique générale, la dépense tarée dans l'égalité.

Un éditeur pourra dire à un auteur : « Je ne vous publie pas, votre tare laisse à désirer. D'ailleurs, votre manuscrit comporte des allusions continuelles à une culture classique incompréhensible. Vous êtes élitiste, gardez ça pour vous, vous ne comprenez rien au marché. »

TECHNO

La folie a eu ses grands noms, ses génies, ses lettres de noblesse. Inutile de revenir là-dessus de façon romantique. Et puis, tout à coup, elle a explosé en pluie fine, elle est devenue *vulgaire*. Désormais, et c'est constamment prouvable, *on vit chez les fous*. La folie instituée court les rues, délire sous vos yeux, n'a plus le moindre intérêt, invente une nouvelle normalité pénible. Il y avait des poètes, des peintres, des philosophes fous, admirables de trouvailles et de liberté. Le bon sens les enfermait, et, à la longue, les respectait. Essayez donc de citer, ici ou là, une de leurs œuvres illuminantes. « Je ne comprends pas », vous dira une salariée.

Même chose avec l'ignorance. On pouvait la pointer, la sanctionner, soutenir qu'elle n'est en aucun cas un argument ni une excuse. Les origines modestes ne pouvaient pas s'en vanter, et les puissants avaient peur qu'on les prenne en défaut sur un truc bateau. Un représentant du pouvoir rougissait de honte à l'avance, il se tenait à carreau. Aujourd'hui, plus de complexes : l'ignorance est admise, propagée, c'est un signe d'authenticité. « Ignorants, et fiers de l'être ! », clament les abrutis du jour. Il est possible de tout savoir, mais les appareils sont là pour ça, pas moi, vous dira une jolie journaliste aux yeux bleus, en train de faire une enquête. Elle recopiera ce que lui dicte sa banque de données, rédigera ça de façon lyrique et confuse en pensant à la procréation médicalement assistée. Elle s'en fout, elle mise sur son avenir placé.

Il y a des noms gênants qu'il vaut mieux oublier, ou qui, si on les mentionnait, prendraient trop de place. Tiens, une absence flagrante : un coup de gomme a été donné. Ce *blanc* attire l'attention du spécialiste en contre-folie, qui n'a aucun mal à en déchiffrer une trace fantomatique, puisqu'il sait lire entre les lignes et plus loin que les lignes. En principe, compte tenu du sujet traité, ce nom devrait être là. Avec un peu d'attention, on remarque sa disparition. Il n'avait pas bonne réputation, c'est entendu, mais enfin il a été un acteur incontournable du secteur. Il n'était donc pas fou *du tout*? C'est probable.

Un régime totalitaire sait ce genre de choses. Des policiers aux écoutes veillent sans arrêt sur des listes. Que le régime soit dur ou mou, la fonction persiste. Elle s'étend aux médias, censure certains noms, coup de pied en passant sur tel ou tel, trop politiquement incorrect. Le dopage à la moraline est toléré dans les urines. Une baisse anormale du taux de sentimentalité humaniste est vite repérée.

L'habitant anesthésié de la folie est, bien entendu, infecté de télé. Il zappe, il zappe, passe des infos à la météo, des faits divers aux élections, des manifestations aux rabâchages économiques, des divertissements avec rires enregistrés aux drames mondiaux pathétiques, des agonies célèbres à la publicité, des tonnes de chansons à des réunions au sommet (toujours les mêmes marionnettes sur leur inébranlable podium). Nuit et jour, l'image et le bavardage règnent. Pas de sommeil sans film ou sans festival. Je viens ici, un samedi soir, à Venise, de regarder la télé pendant une heure. Le message personnalisé était clair : « Tu n'as aucune raison de continuer à écrire ce livre. *Médium*? Ça n'existe pas. »

Et maintenant, voici, à Paris, la Gaytto Pride ! Vacarme et cirque d'enfer ! Résurrection de l'Empire romain ! Drapeaux arc-en-ciel partout ! Cinq mille types superbaraqués s'embrassent à pleine bouche sur des chars techno ! Des lesbiennes enthousiastes brandissent des pancartes : « Procréation ! » « Gestation ! » « Vitro ! » Ovocytes en folie ! Spermatozoïdes à gogo ! Vive l'amour ! Vive la vie ! Dix chars spéciaux, bourrés de gays splendides, s'adressent directement aux lesbiennes : « Choisissez votre donneur ! » La collecte de sperme et l'insémination se font sur place. Une charmante Lolita, au milieu de la rue, nombril nu, gigote et trépigne. Elle a tatoué, sur son bras droit, l'annonce suivante : « Seule et célibataire. » Bonne chance, chérie !

Contrairement à ce qu'on prétend, saint Pierre avait programmé son compte numéroté en Suisse. Dieu, qui voit tout, a toujours su qu'il posséderait toutes les banques du monde. Le Diable l'a dans l'os, il n'a pas prévu la Techno.

La Techno, c'est aussi la montée en puissance nocturne de la MDMA, ancienne Ecstasy recyclée, dont le nom de code est maintenant « Molly ». La cocaïne est en baisse, les jeunes ringards la trouvent « ringarde », ils prennent leur comprimé ou leur poudre, c'est la drogue la plus « hype », du moins c'est ce qu'ils croient, les pauvres, alors que ce produit a une conséquence majeure et encouragée en sous-main : il les rend *sociaux.*

Un type ou une fille, ayant avalé sa dose en plein vacarme, devient une caricature de médium, pire que les professionnels charlatans du 19e siècle. Écoutez l'un d'eux : « C'est vraiment la connexion, l'amour. C'est comme marcher sur un petit nuage. T'es heureux, t'as envie de faire connaissance avec tout le monde. » Un autre : « C'est comme si ton corps devenait un musée que tu te mets à contempler. Tu te découvres de l'intérieur. T'as l'hormone du bonheur sécrétée à la puissance mille, donc, forcément, t'as envie de rencontrer des gens. Le contact de la peau, c'est énorme aussi. Ça te donne envie de faire des massages aux gens. S'embrasser, c'est dément sous MD. Regarder un bébé, ça doit être pas mal aussi. »

Vous avez remarqué l'arrivée des mots « musée », « gens », « massage », « bébé ». Touchante jeunesse normalisée, à tout asservie ! « Quand je suis sous MD, confie un autre, j'ai beaucoup d'affection pour mon prochain. » D'où le besoin immédiat de « contacts ». Le massage est un brassage, il ne saurait être singulier ni *spécial.* Le massage est ici un médium de masse *démocratique* (le contraire d'Ada). Ces jeunes gens ont de drôles d'images policières : « Tes yeux deviennent des gyrophares, tu es totalement désinhibé, toutes les barrières s'effacent. » Une croûte d'art contemporain, par exemple, est aussi belle qu'un chef-d'œuvre de l'art classique. Supposons que je sois ministre de la Culture : je distribue, pour pas cher, l'« hormone du bonheur », tout en disant le contraire. Que cent mille adolescents s'épanouissent ! Qu'ils aiment leurs prochains comme eux-mêmes ! Qu'ils se vivent comme un musée rempli de bébés ! *Techno* !

Procréation Médicalement Assistée, Gestation Pour Autrui, MDMA : fabrication des corps dans une gay attitude, avec, au bout du rouleau, le prochain débat interminable sur la fin de vie, les soins palliatifs, l'euthanasie, le droit de mourir dans la dignité, le suicide assisté, l'exemple magnifique de la Suisse. La mort comme potion magique, rite socratique, avec écoute enregistrée des dialogues de Platon. La PMA devient ainsi la Parfaite Mort Assistée, et la GPA la Gestation Posthume Assurée.

Je ne donne pas ici la formule de ma dose correcte de contre-folie. Elle agit pour moi, c'est tout. Elle vient de loin par bateau, et Venise est l'endroit idéal et insoupçonnable pour ce genre de trafic discret. Si un marin tombe, un autre prendra vite sa place, transaction rapide dans l'église San Trovaso. Qui irait suspecter ces deux croyants qui assistent, recueillis, à une messe du matin ? Enveloppes dans des missels, « ad majorem dei gloriam, qui laetificat juventutem meam ».

Les effets sont fulgurants, mais il faut un profond silence. Émulsion de l'espace, convulsion du temps, force des couleurs, netteté des sons, délire surplombé, saveurs et odeurs multipliées, toucher de soie, aucune envie de contact humain. Du samedi au dimanche en fin d'après-midi, action continue : les gestes viennent d'eux-mêmes sur fond d'abîme, je titube parfois, à l'aveugle, dans l'appartement. Et puis, c'est la détente, la montée de lucidité, le nettoyage mental, le déploiement d'un nouveau corps aérien. Trop faible dose : abrutissement. Trop forte : tempête. Correcte : vol mesuré de la *marche*, un peu au-dessus du sol ou carrément sur les toits, ivresse de l'eau en bateau. Si on écrit, *le papier respire.* La Nature étant devenue peinture, elle nie toutes les images, et se met à dessiner pour se dévoiler.

Je suis le Médium et le double de quelqu'un qui dure. Attention, on n'est pas au cinéma, je ne suis pas sa « doublure ». Je n'ai pas la moindre idée de ce qu'il sera quand j'aurai disparu. Mais la question ne se pose pas : quoi qu'il arrive, il sera comme il est, le même. En moi, comme moi, plus que moi.

CHINOIS

Voilà, aucun problème, je suis maintenant chinois, j'ai plus de 3000 ans, je commence à contrôler le marché de l'art contemporain via Hongkong, ce qui ne m'empêche pas, peu à peu, de devenir plus chinois qu'un Chinois, jour après jour, heure après heure. Pour l'instant, aucun d'entre eux ne s'est encore approprié Saint-Simon, aucun Américain non plus, la région est tranquille. Ils se battent dans l'électronique, les missiles, les sous-marins, avec une percée originale chinoise dans le cognac, la fleur de sel et le vin. La Chine avance à grands pas silencieux, pendant que les Arabes font beaucoup de bruit pour pas grand-chose (et le pétrole? oui, oui, ça va). J'entre, en calligraphe inspiré, dans le silence de ce silence, écriture verticale, de haut en bas et de droite à gauche, passant du fleuve horizontal à la profondeur vibrante debout.

Il y a trois sortes d'écritures, la régulière, la courante, la cursive. La première est comme se tenir debout, la deuxième évoque la marche, la troisième signifie la course, au risque de tomber dans un geste sans repentir. On écrit d'abord dans un carré, mais, avec la cursive, on s'approche de la vitesse du cercle, le carré circulaire est à l'horizon du bras vide, du pinceau nerveux. Comment courir vite en restant assis ? Saint-Simon se retranche dans le noir du noir, se concentre, s'échauffe, s'élance. Ça y est, il est parti, il va tourbillonner, c'est-à-dire vous faire un « crayon ». Le château se remplit, le feu brûle, la bougie pense. La tapisserie frémit. Les mots, sous sa plume, sont étonnés d'être ensemble, ils se bousculent, se redoublent, se contredisent, passant de l'éloge au blâme. La marionnette vit ses minutes d'apparition, puis se couche et meurt. On la jette dans la cheminée, à la suivante.

Devenus chinois, le papier peut être « aidé par le divin », et l'encre « se diffuser, mouillée, comme un dragon en eau profonde ». Voici des rides, des points de mousse, se formant au gré du souffle, et, surtout, des *halos d'encre,* sommet de méditation. « L'homme parfait est comme mort. Il ignore pourquoi il est ici-bas, et aussi pourquoi il ne serait pas ici-bas. Il ignore pourquoi il bouge, et pourquoi il ne bougerait pas. Sous le regard des autres, il ne change pas ses comportements extérieurs. Il ne change pas davantage ses comportements quand il est à l'abri des autres. Solitaire, il va et il vient. Solitaire, il sort et il rentre. Qui peut s'opposer à lui ? »

Qui peut s'opposer à lui ? Mais, bien entendu, *tout le monde*. Or, comme c'est n'importe qui à chaque instant, ça finit par n'avoir aucune importance. Il traverse les rassemblements de folie, les foules, les groupes, les clans, sans qu'on s'en aperçoive. Il est invisible, intouchable, il passe le bras à travers. Ce qu'il dit n'est pas retenu, les photos sont brouillées, les enregistrements incompréhensibles. Pour peu qu'il s'exprime, il vous dira qu'il « adhère à la résonance spontanée », qu'il mise sur l'« action nocturne » et l'« obscure identité », que ses « viscères sont dans la dépendance du cœur », qu'il « respire avec les talons », que « le corps a pour sommet le cœur dont l'esprit est le joyau », et autres formules absurdes, sur lesquelles vous ne réfléchirez pas longtemps (vous venez de les oublier).

Écoutez ça :

« On appelle "cœur" la faculté de s'étendre indéfiniment à partir d'un point et de tout concentrer dans un seul canal ; on appelle "méthode" les procédures qui permettent de connaître les développements en partant de la racine, de répondre à toutes les situations grâce à un seul principe ; on appelle "Voie" l'art consistant à connaître le pourquoi au repos, les buts en mouvement, les modalités quand on entreprend et où s'arrêter quand on agit. »

Je démontre maintenant le côté chinois de Saint-Simon, dans ce portrait de Jean Louis de Nogaret, duc d'Épernon :

« Sa vie, qui peut composer seule plusieurs justes volumes, est un égal et continuel prodige de fortune et de vertu, de valeur intrépide et d'une habileté judicieuse, qui ne tient rien de la fausseté ni de la bassesse, de capacité de guerre et de cabinet, et, ce qui a été son caractère principal, d'une inflexible fermeté dans tous les temps, et partout également soutenue avec une grandeur héroïque, et durant une très longue vie, et qui entre dans tout ce qui est principal dans notre histoire. »

Encore un peu :

« Fin, audacieux, juste, austère, libéral, magnifique, toujours libre, toujours le maître dans ses emplois, toujours redouté jusqu'à sa mort de tout ce qu'il y avait de plus puissant et de plus haut, toujours droit, toujours profond, toujours le même, toujours grand... Il faut se contenter de s'écrier devant une telle vertu, qui se peut dire avec justesse épouvantable et prodigieuse. »

En contrepoint, l'agitation de Mme de Maintenon :

« Une mer d'occupations frivoles, illusoires, pénibles, toujours trompeuses, des lettres et des réponses à l'infini, des directions d'âmes choisies, et toutes sortes de puérilités qui aboutissaient d'ordinaire à des riens, quelquefois aussi à des choses importantes, et à de déplorables méprises en décisions, en événements d'affaires, en choix. »

Pour le cardinal Dubois, c'est déjà l'enfer :

« Tous les vices combattaient en lui à qui en deviendrait le maître. L'avarice, la débauche, l'ambition étaient ses dieux ; la perfidie, la flatterie, le servage ses moyens ; l'impiété parfaite son repos. »

Sanction :

« Il finit sa vie dans le plus grand désespoir, et dans la rage de la quitter. »

Il y a aussi, parfois, un éloge sans blâme :

« C'était un homme d'infiniment d'esprit qui, avec une imagination qui le rendait toujours neuf et de la plus excellente compagnie, avait toute la lumière et le sens des grandes affaires et des plus solides et des meilleurs conseils. »

EXERCICES

Voici quelques exercices pratiques de contre-folie :

– Laisser passer trois autobus sans les prendre.

– Envoyer, pendant un mois, toujours le même tweet : « Le duc vous attend au tournant », je répète : « Le duc vous attend au tournant. »

– Lire des classiques chinois de 3 heures à 5 heures du matin.

– Faire du vélo d'appartement, la nuit, pendant une heure.

– Brancher la télé ou des DVD, sans le son.

– Comprendre à fond des expressions comme « Je m'en bats l'œil », ou « Un air entendu ».

– Décommander des rendez-vous sans explications.

– Refuser les voyages.

– Dire que vous êtes à Venise quand vous êtes à Paris, et à Paris quand vous êtes à Venise.

– Dormir le plus possible quand tout le monde travaille, écrire quand tout le monde dort.

– Jamais de « débats », de colloques ou de tables rondes, sauf désinformation.

– Choisir douze poèmes ou fragments de prose rythmée, en réciter un, deux fois par jour, pendant un mois. Passer au suivant le mois d'après. Puis, en décembre, récapitulation générale.

– Visiter, tous les ans, la salle des vases grecs à Munich.

– Être social, aujourd'hui, c'est être remplaçable. Vous avez été *remplacé* depuis longtemps, peut-être sans vous en rendre compte. Imaginez la vie des petits-enfants de vos remplaçants.

– Se laisser enfermer, le soir, une fois par an, dans la basilique San Marco, à Venise. Dormir dans un coin, en attendant un tout autre matin.

– À Paris, prendre des autobus inhabituels, aller jusqu'au terminus, et retour. Même chose avec des trains de banlieue aux heures d'affluence.

– Feindre une crise cardiaque, être admis aux urgences, une semaine d'hôpital, maigrir de 10 kilos. Demander, pour le fun, un examen psychiatrique. Repartir avec une tonne de médicaments.

– Lire un mauvais roman (ça pullule). S'étonner de la critique dithyrambique pour des films idiots. Ouvrir au hasard des livres de poésie contemporaine, particulièrement débiles.

– Se rappeler, de temps en temps, cette maxime de l'excellent contre-fou Gracián : « Les choses du monde doivent se regarder à l'envers pour les voir à l'endroit. »

Demandez-vous maintenant pourquoi Proust rêve sans cesse de Saint-Simon. La réponse est simple : faire la même chose, génialement, mais *à l'envers.* Il est fasciné, il étudie la technique à la loupe, il écrit des pastiches du duc, il devient duchesse, il établit des listes de noms, il *inverse.* Son œuvre a des longueurs, mais le personnage de Charlus est grandiose. La dégénérescence de la noblesse est méticuleusement observée, elle palpite encore, il faut l'achever. C'est un juif homosexuel qui, rescapé de Sodome et Gomorrhe, se sent, tout à coup, responsable de toute l'Histoire française. Il cherchait, il trouve. Le Temps est à lui.

Proust n'est pas « juif », il n'est pas « homosexuel » (il préfère le mot « inverti », puisque Charlus, au fond, est une femme). Personne n'est français comme lui à son époque. Sa seule erreur, mais révélatrice, est de croire que la sexualité règne partout, explique tout, imprègne tout, désagrège tout. Il serait quand même effaré devant le triomphe « gay » d'aujourd'hui, mais, après tout, Mlle Verdurin pousserait désormais Charlus à épouser Morel, Albertine à se marier avec Mlle Vinteuil, et les uns et les autres à adopter des enfants, ou à les faire faire via la Technique. N'est-ce pas mieux ainsi ? Le « petit noyau » n'est-il pas devenu une grande sphère ? Le Temps, un moment débordé, est rentré dans son lit.

Le plus surprenant, dans cette aventure, c'est la fraîcheur de Saint-Simon, sa jeunesse et sa légitimité indestructible, l'érotisme de son intraitable vertu. Il est vrai qu'on ne le voit pas contrôlé par la police comme « rentier » dans un bordel pour hommes. Cela dit, Proust est vraiment très doué, et je le prouve en ouvrant, presque au hasard, *Sodome et Gomorrhe* (suivez bien la phrase) :

« Cependant, se tournant d'un seul mouvement et comme d'une seule pièce vers le musicien indiscret, le duc de Guermantes, faisant front, monumental, muet, courroucé, pareil à Jupiter tonnant, resta immobile ainsi quelques secondes, les yeux flambant de colère et d'étonnement, ses cheveux crespelés semblant sortir d'un cratère... Puis il se renversa en arrière et assena au musicien un salut si profond, empreint de tant de stupéfaction et de rage, si brusque, si violent, que l'artiste tremblant recula tout en s'inclinant pour ne pas recevoir un formidable coup de tête dans le ventre. »

Proust est un privilégié de la Troisième République, et il en a honte (la réprobation de Saint-Simon plane sur lui). Il sait que la fin d'un cycle historique approche (boucherie de 1914-1918), comme l'Indien Saint-Simon, l'oreille collée aux tapisseries du mensonge, pressent l'orage révolutionnaire. Tout se décompose à vue d'œil, les hiérarchies sociales sont renversées, l'édifice républicain va tenir encore un siècle, mais retournera bientôt, après un nouveau cataclysme, là d'où il vient, pétrifié, au 19e siècle. C'est maintenant, et c'est accablant.

Un jeune homme inspiré, à la fin de ce 19e siècle, se voyait « chargé de l'humanité, des *animaux* même ». Il a disparu au loin. Un autre, médecin lucide, au 20e siècle, va enterrer tous ces morts. L'aristocratie est effacée, la bourgeoisie pulvérisée, reste une masse de petits-bourgeois conformistes, soumise à la science et aux satellites. J'imagine le médium Proust, songeur, dans un coin populaire de Venise, à *La Riviera*. Il entend les sirènes des paquebots et les cris des mouettes. Il écoute, la nuit, Radio-Versailles ou Radio-Shanghai. Il a des longueurs d'onde spéciales. Il n'est pas fou.

LE DUC DE DUCASSE

Après sa mort, on découvre dans les papiers de Saint-Simon une liasse de feuillets qu'un collectionneur transmet à ses héritiers. Elle manque dans l'édition des *Mémoires*, mais je l'ai sous les yeux, et je n'en crois pas mes yeux. C'est bel et bien un *Manuel de contre-folie*, et on peut se demander comment Isidore Ducasse, comte de Lautréamont, mort à 24 ans, en 1870, pendant le siège de Paris par l'armée prussienne, a pu en avoir connaissance.

Dans ces lignes, hâtivement écrites avant sa disparition, le duc s'élève contre l'« esprit de négation », les « sophismes », les « pleurnicheries » qui envahissent l'atmosphère. « Il est temps, dit-il, de réagir enfin contre ce qui nous choque et nous courbe si souverainement. »

Il poursuit, de façon prophétique :

« Écrire l'ennui, les douleurs, les tristesses, les mélancolies, la mort, l'ombre, le sombre, etc., c'est ne vouloir, à toute force, regarder que les puérils revers des choses. »

On n'est pas peu surpris, par la suite, de lire la liste de condamnation suivante :

« Les perturbations, les anxiétés, les dépravations, les envies, les trahisons, les tyrannies, les impiétés, les irritations, les acrimonies, les incartades agressives, les remords, les hypocrisies, les impuissances, les blasphèmes, les asphyxies, les étouffements, les rages... » Le médium Lautréamont, ayant repris son identité d'Isidore Ducasse, trace des mots que le duc de Saint-Simon lui dicte. Le français réveillé, après avoir erré dans « les landes infernales », reprend ses droits. Même mouvement avec *Une saison en enfer* et *Illuminations*, de Rimbaud. C'est l'aurore.

Précisons les dates :

Baudelaire meurt en 1867, et Lautréamont en 1870. Proust naît l'année suivante, en 1871, alors que Rimbaud a déjà 17 ans, et Manet 39 ans. Saint-Simon, lui, meurt en 1755, à l'âge de 80 ans (publication posthume). Voltaire, cette année-là, a 61 ans, et Sade 15. L'Histoire roule à toute allure. En 1936, année de la naissance d'un autre Voyageur du Temps, Céline écrit son éblouissant *Mea culpa*, contre l'ex-URSS d'où il revient. Georges Bataille a 39 ans, son hommage à Proust figure dans *L'Expérience intérieure*. André Breton a 40 ans, Louis Aragon 39. Les enjeux décisifs sont sur la table.

Proust est formel : Dieu s'y est mal pris dans la destruction de Sodome et Gomorrhe, car beaucoup de sodomites et de gomorrhéennes ont survécu et occupent des positions secrètes et transversales dans tous les pays, notamment en France. Il compare explicitement leur influence à celle de la maçonnerie, en exagérant, de façon étonnante, la puissance de Gomorrhe. Dieu, dont la « maladresse sexuelle » a beaucoup préoccupé le plus grand poète français du 20e siècle, Antonin Artaud, est donc très compromis dans cette affaire. Or Lautréamont est ici capital : Dieu, le Dieu hébreu, est homosexuel, ce dont, avant lui, personne ne semble avoir pris conscience. Un livre de soufre reste à écrire, auquel Proust, au fond très innocent malgré son ironie ravageuse, n'a pas pu penser : *L'Analité du Mal.* Il décrit une manie, pas une malignité spirituelle.

Le 19e siècle et la Belle Époque finissent avec Proust, et, après une nouvelle catastrophe, font retour aujourd'hui, comme un refoulé gigantesque, dans une basse époque. Si tout le monde est « gay », plus personne ne l'est. Si la Mafia est générale et globale, il n'y a plus qu'elle. Vous me dites aussitôt que vous connaissez des « hétérosexuels » certifiés. J'en doute. Vous avez rencontré, paraît-il, des individus parfaitement honnêtes. Laissez-moi sourire. Des pauvres, sans doute, mais qui battraient tous les records de corruption s'ils devenaient riches. Là-dessus, la Mafia, toujours très menteuse et morale, se fâche : filmez-la.

Les populations misérables de la planète, pour nourrir leurs familles, ont commencé, depuis longtemps, à vendre leurs organes (un rein par-ci, une cornée ou un poumon par-là). Les *greffes* continuent partout, sur fond d'usine des cadavres, et la disparition de milliers de bébés brésiliens pour des recyclages en cliniques spéciales demeure sans preuves tangibles. Cependant, la science progresse, et débouche sur le trafic intensif des cellules souches, une manne pour les labos. L'*embryon* est très recherché pour les cellules optiques ou cardiaques. C'est un programme de santé qu'il n'y a pas lieu de discuter. Un médecin célèbre vient vous expliquer la nocivité de l'idéologie dans cette matière. Certes, il « respecte » saint Augustin ou saint Thomas, qui font de l'embryon une créature de Dieu (alors qu'il ne devient une « personne » qu'un peu plus tard), mais cet obscurantisme tenace gêne le progrès, freine les découvertes, pénalise les traitements en attente. L'ancien Dieu, là encore, ne veut pas réviser sa vision de la conception. Les vendeuses d'embryons deviennent légion, encouragées par la collecte des avortements et des fausses couches. Des multitudes de malades attendent avec angoisse ces cellules vivantes. Les labos, c'est l'évidence, travaillent toujours *pour le Bien.* Il y a des dysfonctionnements, mais ils sont vite résorbés dans la masse.

« Vous êtes d'où ? – De souche. » Ce dialogue embryonnaire s'entend de plus en plus dans les hôpitaux. Personne, alors que son cœur est en cause, n'aura l'idée de demander d'où viennent les cellules battantes qui assurent sa survie (il y a, en ce moment, 50 000 embryons congelés en France, qui attendent leur utilisation). Dieu, grâce à la Science, bazarde, d'un revers de main, sa théologie fatiguée, ses religieux anesthésiés, ses familles stagnantes. Saint Thomas est ahuri, Proust aussi.

Le baron de Charlus, après avoir fait avorter une mère porteuse qui allait lui donner une fille, attend, en pleurant de joie, la naissance de son fils, qu'il imagine déjà en grand séducteur de femmes. La duchesse de Guermantes sera sa marraine. Il ira loin.

POISON

La folie est un poison que vous avalez à toute heure. Pour le combattre, il faut l'identifier, se couler en lui, s'immerger dans toutes ses ruses, ses sinuosités, ses charmes, ses séductions, ses morsures. Surtout ne jamais être contre. Du poison ? Encore ! De la bêtise, de l'ignorance, de l'entêtement, de la calomnie, du mauvais goût ? Encore ! Encore ! Pas de contre-poison efficace sans overdose de poison. C'est la nouvelle alchimie.

Vous supportez les haines, les envies, les défiances, les aigreurs, les dépits, les ressentiments, les désirs de vengeance. Vous comprenez ces esclaves de la Société et d'eux-mêmes. Vous reconnaissez d'emblée leur fausse morale intéressée, leur jalousie, leur mégalomanie, leur démence narcissique, leurs humiliations, leur mauvaise conscience. Vous savourez leurs couleuvres, vous les soulagez par votre seule présence. Vous êtes médecin par nature, la contre-nature vous poursuit.

Celle que vous ne convaincrez jamais, c'est *la prude.* Elle est plus répandue qu'on ne croit, souvent déguisée en porno, en star éphémère, en actrice, en chanteuse, en pub. Mais elle peut être aussi critique littéraire, bourrée de clichés humanistes et sentimentaux. Elle sait, celle-là, que vous représentez un vrai danger pour sa carrière. Tout lui déplaît en vous, elle se ferait arracher les dents plutôt que d'écrire votre nom. Elle a son plan d'ascension sociale, portraits psychologiques et interviews de personnages influents, avocats, éditeurs, hommes d'affaires, hommes politiques. Elle accumule les « relations », elle remplit son carnet d'adresses. Bien qu'elle soit encore jeune, elle pense déjà à sa retraite, c'est une vieille fille sans fleur.

Bien joué, puisqu'elle est censée savoir lire et s'occuper de littérature. Ils ne savaient pas qu'ils avaient une âme, elle leur en donne une. Elle apparaît, elle est sérieuse, elle reste en retrait, on ne lui connaît pas de liaison amoureuse, elle est *centriste* en politique, c'est une religieuse rentrée aimée du clergé. Elle s'appelle forcément Marie-Laure, Marianne, Maryvonne, Marie-Claude, Marie-Noëlle, Marie-Paule, Marie-Françoise, et même Marie tout court. Sa cornette est mentale, son ordinateur refuserait toute entrée sexuelle crue, toute liberté d'esprit trop flagrante. C'est la duchesse de notre époque, et elle écrit comme on pianote, sans aucun effort.

Un truc vous intrigue, depuis longtemps, chez vos partenaires féminins : le manque total de curiosité pour votre existence avant de vous avoir rencontré. Vous n'existez que depuis cette rencontre, et toute liaison antérieure est abolie, de même que votre enfance, votre jeunesse, vos aventures risquées, vos maladies, vos accidents, vos épreuves. Jamais une question là-dessus, vous venez de nulle part, vous n'avez pas eu de famille. Si vous avez la faiblesse d'en dire deux mots, écoute polie, vite interrompue, changement de sujet, retour sur elles. Encore heureux si elles vous laissent finir vos phrases. Tout épisode historique est pour elles un ennui profond, les dates sont floues, fautives, enchevêtrées, confuses.

Les « grands événements », pour elles, ont à peine eu lieu. Autant dire que les « grands hommes » ne les intéressent pas. Les guerres ou les changements de régime ne les touchent que légèrement (sauf de façon familiale). Il y a eu un « royaume » de France ? Des conflits religieux ? Une révolution ? Des charniers ? Une collaboration avec l'ennemi ? Des déportations ? Des exécutions ? Des exactions coloniales ? Tout, chez elles, est imprécis, approximatif, comme chez leurs mères. Leur identité n'est pas concernée (ou très peu) par ces chaos d'hommes. La grande Histoire ne les intéresse pas plus que la manière (pourtant passionnante) dont vous jouiez aux billes. Vous êtes un garçon gênant dans leur mémoire, un agité qui les bousculait à l'école, un prédateur pervers, un suspect.

ONDES COURTES

Il est 5 heures du matin, et j'écoute Radio-Shanghai, à Venise, sur ondes ultracourtes. L'émission, en français, est hyperclassique, et s'appelle *Médium*. Il est question du professionnel taoïste.

« Capable de remonter jusqu'au passé le plus reculé et de lire dans l'avenir le plus lointain, il n'a aucune peine à discerner bonheur et malheur. »

Et aussi :

« Il n'est rien qui ne lui soit joie ; tout lui étant joie, il parvient à la joie suprême. »

Ou encore :

« Il voit sans regarder, entend sans écouter, se déplace sans marcher, a une audience universelle sans parler. »

Pourquoi ?

« La Vertu mystérieuse accompagne les choses dans leurs renversements. »

Les messages sont parfois obscurs :

« Un poisson, capable d'avaler une barque, échoue sur la terre et devient la proie des fourmis. »

Et aussi :

« Il est libéral mais incisif, sévère mais chaleureux, souple mais droit, terrible mais bon. »

Et encore, point décisif dans l'attention constante qui doit être portée à *l'infime* :

« Les hommes qui ont succès et renom se soucient peu de l'opinion de leurs contemporains. Conscients que l'occasion est fugace, ils sont entièrement occupés à guetter le moment favorable. »

Contrairement à une opinion spiritualiste courante, la solution n'est pas « le vide » :

« Se laisser asservir par le vide, c'est le contraire de la vacuité... Si je cherche intentionnellement à être vide, je n'y parviens pas ; alors que, sans le rechercher, je me retrouve spontanément en état de vide, ce qui prouve que le désir fait fuir ce qu'il recherche. »

Médium, sur Radio-Shanghai, a une annonce spéciale, reconnaissable entre toutes :

« Seul ce qui produit les transformations par l'influence magique n'est dominé par rien. »

Parfois, seulement :

« Eh bien, la magie continue... »

Je passe sur les formules très connues comme « La Voie fait tout sans rien faire », ou « Il a pour principe le non-savoir et pour joyau le comment-faire »... Toujours ce « joyau » qui scintille dans la septième étoile de la Grande Ourse, pivot autour duquel tournent toutes les constellations.

Quelle n'a pas été ma surprise d'entendre, un jour, sur *Médium,* cette formule de Pascal :

« Qui aurait trouvé le secret de se réjouir du bien sans se fâcher du mal contraire, aurait trouvé le point. C'est le mouvement perpétuel. »

Cette formule, à apprendre par cœur, vous donne, en effet, la vive sensation du mouvement perpétuel. C'est un secret, c'est un point, un point dans un secret, un secret dans un point.

Tous les mois, *Médium* diffuse aussi des poèmes classiques. Ils sont très beaux :

« Aboiements des chiens noyés dans le bruit de l'eau,

Fleurs de pêchers foncées par la rosée qui les couvre. »

Ou bien :
« Couleur de l'herbe sous la nouvelle pluie,
Musique des pins dans la fenêtre des soirs. »
Ou encore :
« La barque avance, la ville entre dans les arbres,
La rive est si éloignée que la ville flotte sur l'eau. »
Venise est une ville qui flotte sur l'eau.

LOUIS

Loretta s'occupe très bien de son petit restaurant. Son mari, Gianni, est à la cuisine, il fabrique, de main de maître, d'excellentes pizzas, que je mange de temps en temps pour lui faire plaisir. Ils ont engagé, pour les aider, une petite brune ronde et rapide, Lydia. Elle sait qu'il faut prendre soin, Dieu sait pourquoi, du « professore ». C'est elle qui vient chez moi pour le ménage. Elle sert les clients en virevoltant, ou plutôt elle les élimine. Il y a du monde à midi, dès le printemps, un peu plus en été, presque plus rien en automne, et désert le soir. Lydia n'est pas mariée, elle bouge de façon gracieuse et nerveuse, je sens que je pourrais l'attirer, mais les visites d'Ada me suffisent.

En tout cas, le mot « professore » garde son étonnant prestige, celui de supposé célibataire aussi. Ce type est quand même bizarre : il habite Paris, arrive par avion le vendredi soir, repart le lundi ou le mardi matin pour ses affaires. Personne ne déjeune ni ne dîne jamais avec lui, il vient seul depuis des années, son appartement est très en ordre, il fait des balades en bateau, toujours seul, il est quand même spécial. Cette femme, qui vient pour des massages, doit en savoir davantage, mais elle ne s'attarde jamais dans le quartier, à peine bonjour et bonsoir.

Est-ce qu'il a des rhumatismes, une blessure à guérir ? Non, il ne boite pas, il n'a pas l'air de souffrir. La plupart du temps, penché sur ses livres, il est sérieux comme un pape. Oh, charmant, sourires, mais absorbé dans ses écritures. Il y a toujours, chez lui, des bouteilles d'eau minérale et du whisky. Du vin, le soir, oui, mais surtout des cafés. On se demande comment il peut dormir.

Loretta, Ada, Lydia, petit opéra sensible. J'aime leurs chemisiers, leurs blouses, leurs jupes, leurs pantalons, leurs peignes d'écaille dans les cheveux, leurs rires, leurs voix. L'italien se module tout seul. Je les écoute au plus près, leur bourdonnement léger me repose. Je recharge mon français grâce à elles, je l'assouplis, je le multiplie. Que serais-je sans l'italien ? Un demi-sourd, comme la plupart des écrivains. J'ai su très bien l'espagnol, l'italien a pris sa place. Après tout, Louis XIV parlait l'espagnol, et Saint-Simon a été en mission en Espagne. Je peux me raconter, pour rire, que je suis, à Venise, un ambassadeur secret en exil.

Louis XIV, on s'en souvient, a brutalement chassé les comédiens-italiens, après la représentation, au théâtre, de *La Fausse Prude*, où chacun a reconnu une attaque contre Mme de Maintenon, de plus en plus conseillère en dévotion après son mariage secret avec le roi. Les comédiens-italiens sont revenus avec le Régent, en 1716. Ne jamais oublier que Mme de Maintenon a eu une éducation calviniste, avant de se convertir (trop) au catholicisme.

Qu'est-ce que les Français ont pu embêter les papes avec leurs histoires religieuses, protestantisme, jansénisme, quiétisme ! Comme ils se sont trompés en musique ! On leur pardonne tout grâce à Saint-Simon, le rire noir, le rire clair, la grande gaieté de la mort, l'intelligence. Picasso disait que l'intelligence éclatait dans chaque coup de pinceau de Manet. Elle éclate dans chaque phrase de Saint-Simon, c'est la fête.

Le duc est amoureux du Régent, Philippe d'Orléans, ancien duc de Chartres. Ils ont eu une enfance commune, c'est lui qui a fait casser le testament du roi légitimant ses bâtards. Philippe « a infiniment d'esprit, et de plusieurs sortes ». Sa mémoire est incroyable, « les personnages de tous les temps et leurs vies lui étaient présents ». Écoutez ça :

« Il était doux, accueillant, ouvert, d'un accès facile et charmant, le son de la voix agréable, et un don de la parole qui lui était tout particulier en quelque genre que ce pût être, avec une facilité et une netteté que rien ne surprenait et qui surprenait toujours. Son éloquence était naturelle jusque dans les discours les plus courants et les plus journaliers... »

On lui pardonne tout, au Régent : ses assassinats probables (poison), sa débauche outrée, ses « roués », son inceste avec sa fille, ses recherches alchimiques et chimiques, son désir de rencontrer le Diable, la nuit, dans les carrières de Vanves, sa lâcheté face à l'horrible Dubois, et tant d'autres choses. Que voulez-vous, c'est un ami d'enfance, on a joué ensemble autrefois, j'aime bavarder avec lui, il me scandalise mais il me plaît, c'est un roi détaché qui va détruire le royaume, mais, finalement, ce royaume aspire à être détruit. Sa mort soudaine, par apoplexie, est le plus grand chagrin de ma vie.

Après ça, que faire? Écrire, et encore écrire, « une sorte de rhapsodie, où on s'est laissé entraîner au fil de l'eau ». Au fil de l'eau, pas du tout, mais grâce au souffle du Saint-Esprit (le Père et le Fils n'ont pas l'air d'être dans le coup, mais le Saint-Esprit, oui). C'est seulement cinq ans après la mort du Régent que le duc, marginalisé, reçoit, le 2 février 1728, à Versailles, son titre de « chevalier de l'ordre du Saint-Esprit ». Il y tient beaucoup. Ce n'est pas la Légion d'honneur, mais la région est nettement moins confuse.

Le voilà déchargé des « affaires », le duc :

« Un grand loisir qui, tout à coup, succède à des occupations continuelles de tous les divers temps de la vie, forme un grand vide qui n'est pas aisé à supporter et à remplir. Dans cet état, l'ennui irrite et l'application dégoûte. »

Au travail, donc, tantôt dans son château de La Ferté, tantôt à Paris. À La Ferté, il reçoit, le 13 août 1734, une visite étrange : Montesquieu (quel dîner !). À Paris, on le trouve du côté du boulevard Saint-Germain, rue Saint-Dominique, rue du Cherche-Midi, et enfin rue de Grenelle, où il meurt (actuellement n° 102). Par ordre du roi, ses manuscrits sont transférés au Louvre, dans le Dépôt des Affaires étrangères. On les a toujours.

Après la mort de sa femme, en 1743, Saint-Simon s'arrête d'écrire pendant six mois. Plus de « faits secs et crus, à travers les fentes des portes ». Il ne « pétille » plus, ne « voltige » plus. Il demandera que son cercueil soit enchaîné à celui de sa femme, et, bien entendu, la Révolution enverra voltiger ces squelettes. En juillet 1743, il reprend sa plume, et écrit son « Avant-propos ». Il fait très beau :

« S'étendre davantage sur ces vérités serait s'exercer vainement à prouver qu'il fait jour quand le soleil luit. »

Le soleil luit comme lui, c'est un Louis.

Proust n'aimait pas son prénom, Marcel, et en voulait à Saint-Simon de s'appeler Louis. Il s'est vengé des personnages aristocratiques de la *Recherche*, en les affublant de prénoms ridicules (Basin pour le duc de Guermantes, Palamède pour Charlus). Basin sonne comme « Basinus », âne, Palamède comme palmipède. Albertine, Andrée ne sont pas non plus des prénoms rêvés. Son souci principal était quand même le prénom de la mère du duc, à côté duquel celui de sa propre mère, Jeanne Weil, faisait pâle figure. La mère de Saint-Simon s'appelait Charlotte de L'Aubespine. Y a-t-il un nom plus *proustien* ?

MAGIE

La magie a ses lois : il a suffi qu'Ada insiste en m'embrassant, tout en me glissant « je t'aime » à l'oreille, pour que je tombe amoureux d'elle. Soyons précis : le vif appétit, déjà ancien, se transforme en passion. Ça m'arrive rarement, je n'aurais pas cru que cela se reproduirait dans ma vie physique. La passion est là, et voilà. C'est un coup de vent qu'on n'attendait pas, une rafale qui laisse tout en l'état, rien ne va changer, la relation va rester ce qu'elle est, tarifée, mais brusquement gratuite. Le *supplément* n'est pas mesurable. Je suis très surpris, elle aussi.

La beauté d'une femme désirée augmente, celle d'une femme non seulement désirée mais aimée rejaillit partout comme une apparition d'au-delà. Les petits signes de tendresse accompagnent le phénomène, une lumière nouvelle passe dans les yeux, les lèvres, les doigts. Ada pose des baisers légers sur mon front, mes mains, mes oreilles. Elle s'attarde sur mes pieds, mes épaules, mon cou. Je viens de mourir, elle m'aime encore. Malheureux celui qui ne s'est pas fait aimer comme un mort.

Il y a un mot pour tout ça : délicatesse. C'est profond, intime, et à fleur de peau. La peau *fleurit*, le squelette est revêtu d'une brume bleue, on balbutie « c'est bon », « c'est très bon », pour dire quelque chose. Pour la première fois, j'ouvre la fenêtre pour voir Ada, très sérieuse, s'éloigner dans la rue. Elle a bien travaillé, elle a un air concentré, l'utile et l'agréable ensemble, ce n'est pas courant en ce monde. Pareil pour moi, deux pages de plus s'écrivent d'elles-mêmes.

Le duc de Saint-Simon ferme les yeux, et il a raison. Il note quand même, au passage, que son ami, le Régent, est moins débauché que d'habitude, ne cherche plus à transmuter les métaux, ni à rencontrer le Diable dans des courses nocturnes. Il mange moins, boit moins, cette petite masseuse le tient, d'ailleurs elle est italienne. Quant au chinois classique, il incline la tête en signe d'approbation. Regardez ce curieux Français : il suit la Voie sans bouger.

Dans un film d'autrefois, style *My Fair Lady*, le type, subjugué, tiendrait à épouser cette perle, à parfaire son éducation, à la présenter, comme la comtesse qu'elle est devenue, à tous ses amis. Il s'étalerait dans les magazines spécialisés, parlerait de la « femme de sa vie », censurerait l'histoire du massage, inventerait un mauvais roman romantique, rencontre improbable à Venise, coup de foudre sur la lagune, velours sous la lune. Voyons : il est riche et célèbre, elle est journaliste, elle vient l'interviewer au *Cipriani*, l'entente est immédiate, photos, complicité, sourires. Là-dessus, la comtesse Ada devient vite insupportable, elle y *croit*, et divorce au bout de deux ans pour partir avec un jeune prétendant surévalué que tous les journaux encensent. On comprendra, dans ces conditions, que je garde mon Ada pour moi.

Encore un an, et Ada regrette mon quartier de Venise et son « professore », finalement si réservé, si énigmatique. Elle ne se rappelle plus très bien ce qui lui a pris de craquer comme ça, en plus de ses prestations professionnelles. Elle nie l'avoir plus ou moins violé pour lui arracher son secret, mais il n'y avait pas de secret, et c'est là qu'elle s'est laissé prendre. Un bon souvenir quand même, parmi quelques autres, il n'y en a pas tellement. Le jeune prétendant a son charme, mais il est plein de lui-même, et il ennuie vite. Lady Ada est déçue, il la trompe avec la première actrice venue. Il a sa photo un peu partout dans les journaux, on a parlé de lui pour les prix littéraires, mais ça ne lui suffit pas. Lire son dernier roman ? Et puis quoi encore ?

Non, non, pas de cinéma, l'écart, le système nerveux, le hasard, la chance. Encore une « dose correcte » ce matin. Tout est calme et gris-bleu, j'arrête le bateau au large. Une phrase du duc me poursuit sur l'eau : « Son adresse était de faire valoir les moindres choses et tous les hasards. » J'aime ce mot d'*adresse*. J'en ai besoin pour sortir du port. Décidément, il y a deux mondes, et il faut choisir : « La mode, le bel air sont d'un côté, le silence de l'autre, et la solitude. »

J'ai juste le temps de pressentir l'orage. À peine en vue de *La Riviera*, la tempête est là, pluie battante, une de ces tempêtes d'été, à Venise, qui ne durent pas, et après lesquelles tout est sec comme par enchantement. Loretta m'aperçoit, vient me chercher avec un parapluie, me ramène en bas de chez moi. On est serrés l'un contre l'autre, comme des amoureux. On rit. Mais qu'est-ce qui lui a pris ce soir-là ?

DIABLE

On se demande comment Saint-Simon a fait pour ne pas se suicider dix fois. Il vit les yeux ouverts, il ne dort jamais puisque le Pouvoir ne dort pas, il sait qu'il est en enfer, il continue de plus belle. Il en appelle parfois à Dieu, mais on n'est pas obligé de le croire. Il a sous les yeux des possédés évidents « sans foi, sans loi, sans Dieu, sans âme », avec « des yeux de vautour qui semblaient dévorer leur objet et percer les murailles », « une parole lente, pesée, prononcée, tout son extérieur contraire, gêné, affecté, l'odeur hypocrite, le maintien faux et cynique ». Un millimètre de plus, et le Diable serait là en personne, mais s'il transparaît chez ses créatures, il disparaît aussitôt.

Aucun doute, il faut vivre et poursuivre l'enquête. En voici un autre « mathématiquement détestable ». Je répète : « Il sentait le faux en tout et partout à pleine bouche. » Vous vous dites que ce petit duc exagère, qu'il voit le mal partout, mais, justement, il est partout. Voici les qualités du démon :

« Profondeur, noirceur, calomnie, attentat à tout, assassinat, ambition sans bornes, ingratitudes exquises, effronterie sans mesure, méchanceté de toute espèce la plus atroce, scélératesse la plus raffinée, la plus consommée... »

Les possédés réussissent dans la magie noire, ils sont apparemment normaux, jamais soupçonnés pour ce qu'ils sont, protégés, encouragés, décorés. Ils ne sont nullement conscients d'être les marionnettes du Diable. Le plus innocent, Sade, sera très surpris de ce qui lui arrive, tout simplement parce qu'avec l'imagination la plus infernale de la planète il est *bon*. J'aime quand il écrit de Chambéry, en décembre 1772, à sa belle-sœur, Anne-Prospère de Launay, devenue sa maîtresse : « Ah ! ma chère amie, quel beau coup à faire ici pour une femme sensible ! » Je lis, avec émotion, qu'il porte « une culotte de soie couleur souci ». Je suis encore plus ému quand sa femme sublime lui écrit, le 14 décembre 1781 : « Je vais travailler à me rafraîchir le sang pour ne plus te donner d'inquiétude. »

Sade, arrêté au 13 rue Jacob, à Paris, n'a pas vu sa femme depuis quatre ans. Il lui écrit, depuis sa prison de Vincennes :

« J'ai été bien content de tout ton petit être, et je t'ai bien examinée, car on examine bien ce qu'on aime. Je t'ai trouvée mieux que je t'avais laissée, rajeunie, plus grasse, mieux portante, et toujours cet air de petite fille que j'aime tant. »

On ne voit pas Saint-Simon écrire ce genre de lettre à sa femme. Les questions sexuelles ne l'intéressent pas, seuls comptent leurs effets (les bâtards du roi), le roulement des mariages, des naissances, des morts. On ne doute pas de sa fidélité à sa femme, et le fait d'avoir fait enchaîner son cercueil au sien est stupéfiant, drôle de précaution pour une résurrection possible et une promenade la main dans la main. Le Diable s'est vengé, pendant la Révolution, en envoyant ces cercueils au diable. Plus avisé, il aurait dû faire attention à ces liasses de manuscrits posthumes, les faire brûler (comme le dernier grand roman de Sade), ou en empêcher, plus tard, la publication. Il a dû penser, le Diable, que les *Mémoires* du duc étaient un document accablant sur la monarchie française. Ils le sont, mais la plume le vise, lui, sans arrêt, dans ses déguisements et ses intérêts.

Saint-Simon est un saint, impossible de le faire passer à la trappe. Le langage a ses élus, et Rancé s'est trompé : il fallait noter et écrire jour et nuit, sans cesse. Saint-Simon dit qu'il vénère l'abbé de la Trappe, il fait faire son portrait à son insu, il célèbre sa volonté d'anéantissement, il étudie cette autodestruction inflexible, *et il fait le contraire.* Qui le lui demande ? Le Néant lui-même, le plus sûr ennemi du Diable. Les religieux, les mystiques, les cloîtrés, les ascètes se défilent devant le Néant. Leurs silences, leurs extases, leurs apparitions sont de plomb, et leurs apparitions des voiles jetés sur des embrassements de faux vide. Ils impressionnent, ils ne convainquent pas. Au cœur du mensonge, seule la cruauté dit la vérité de la Voie.

Et puis, il y a aussi les magnificences, les dépenses insensées, les fêtes. Voyez le duc ébloui par le camp de Compiègne, sous le commandement du maréchal de Boufflers. Là, c'est du délire :

« Les tables sans nombre et toujours neuves, et à tous les moments servies à mesure... Toutes sortes de liqueurs chaudes et froides, et tout ce qui peut être le plus vastement et le plus splendidement compris dans le genre des rafraîchissements, les vins français, étrangers, ceux de liqueur les plus rares, y étaient comme abandonnés à profusion... L'abondance de gibier et de venaison arrivait de tous côtés, et les mers de Normandie, de Hollande, d'Angleterre, de Bretagne, et jusqu'à la Méditerranée, fournissaient tout ce qu'elles avaient de plus monstrueux et de plus exquis, à jours et points nommés, avec un ordre inimitable et un nombre de courriers et de voitures de poste prodigieux... »

Il y a de l'eau venant « des sources les plus estimées », tout le monde est bienvenu jour et nuit, on a construit des maisons de bois « meublées comme les maisons de

Paris les plus superbes, et tout en neuf et fait exprès, avec un goût et une galanterie singulière, et des tentes immenses, magnifiques, dont le nombre pouvait seul former un camp ».

Bref, « un spectacle dont l'ordre, le silence, l'exactitude, la diligence et la parfaite propreté ravissait de surprise et d'admiration ».

Heureusement, Saint-Simon était là.

Mais où est passé le marquis d'Effiat ?

« C'était un homme de sac et de corde, d'autant plus dangereux qu'il avait beaucoup d'esprit et de sens, fort avare, fort particulier, fort débauché, mais avec sobriété pour conserver sa santé. »

STYLE

Luxe effréné d'un côté, misère de l'autre, religion de face, poison de profil. Les contradictions sont à leur comble, on ne fera jamais mieux comme lumière et ombre absolues, toute la mécanique est à découvert, chacun s'y perd, mais le duc, excellent nageur, s'y retrouve. On l'entend parfois murmurer « On vit chez les fous », mais personne ne peut soupçonner qu'il travaille à un Manuel de contre-folie de cette importance.

Il n'y a pas si longtemps, la Fronde a trempé les meilleurs esprits (Retz), mais maintenant, en fin de règne, le Roi est nu, l'Église titubante, les bourgeois, à l'horizon, s'enrichissent et s'enrichiront toujours plus, le peuple est affamé, et il va être pris dans une tornade satanique. *On répète la pièce* devant le duc, il a son jugement dernier, infaillible. Il n'attend rien, sauf de son encre. Le Néant aime l'encre, le souffle qui peut l'animer, les lettres d'imprimerie, l'odeur du papier. Il ne doute pas qu'il sera « publié » un jour, mais ce n'est pas son souci, il écrit « à la diable », pour l'éternité.

Et aussi pour donner « des avis et des conseils à chaque coup de pinceau ». Ici, dans ces lignes, « tout instruit et répand une lumière qui éclaire tous ceux qui les lisent ». Tout dépend de la force de frappe des portraits : « Une physionomie vive, ouverte, sortante, et véritablement un peu folle. » Ou encore : « Une galanterie dont l'écorce était toujours romanesque. » Technique d'amour.

Et les dévots ? Parlons-en. Ils sont là, avec leur « Charité », leur « Bien », pour couvrir le Mal et ses crimes. Avec eux, personne n'y verrait clair, les habitants continueraient sans fin d'être dupes, hébétés, ébahis, floués. Seule l'Histoire *particulière* (avec noms) peut être vraie, montrer les rouages, les masques, les cascades des événements. Les portraits à la pointe sèche sont nécessaires : le roman est enfin *réel*.

Voyez le prince de Conti :

« Galant avec toutes les femmes, amoureux de plusieurs, bien traité de beaucoup... »

Et puis :

« C'était un très bel esprit, lumineux, juste, exact, vaste, étendu, d'une lecture infinie, qui n'oubliait rien, qui possédait les histoires générales et particulières, qui connaissait les généalogies, leurs chimères et leurs réalités, qui savait où il avait écrit chaque mot et chaque fait, qui en discernait les sources, et qui retenait et jugeait en même temps ce que la conversation lui avait appris, sans confusion, sans mélange, sans méprise, avec une singulière netteté. »

Et aussi :

« Tout en lui coulait de source, rien ne lui coûtait. »

Mais :

« Cet homme si aimable, si charmant, si délicieux, n'aimait rien. Il avait et voulait des amis comme on veut et qu'on a des meubles. »

Cependant :

« On n'ignorait pas qu'il n'aimait rien, ni ses autres défauts ; on les lui passait tous, et on l'aimait véritablement, quelquefois jusqu'à se le reprocher, toujours sans s'en corriger. »

Rien n'est inventé, les corps sont de vrais corps, leurs noms sont répertoriés, on sait d'où ils viennent, leur lutte des places occupe tout leur temps. Ils jouent gros, et se racontent, au moment de finir, qu'ils ont une âme. Il y a quelques religieux énergiques, mais ils sont étouffés par les cabales, les confessions plus ou moins truquées, les cérémonies, les conflits de rangs et de sectes. De toute façon, Dieu, s'il existe, semble considérer de très loin ce bordel.

Il va disparaître, Dieu, et puis revenir fou furieux, au point qu'on peut se demander s'il ne laisse pas le champ libre au Diable. Saint-Simon le comprend très vite : l'humanité est entrée dans une grande marée de magie noire, et seule une nouvelle contre-magie peut faire le poids face à elle. Il s'y emploie. C'est un médium.

En réalité, c'est très simple, il suffit d'une décision logique. Oui, c'est oui, non, c'est non. Le vrai est vrai, le faux est faux. Le beau est beau, le laid est laid. Aucun besoin de discuter, pas de doute. Les sorcières de *Macbeth* sont exorcisées, les totalitaires du doute (légion) sont vaporisés. Le duc tranche à droite, il tranche à gauche. Regardez cette plume-épée.

C'est pourquoi, dans *Manuel de contre-folie*, je crois qu'il faut insister sur le mot « manuel ». Il s'agit de la main directe, revenue du digital et du numérique avec une nouvelle liberté. On peut avoir le bras long, le pouce rapide, mais c'est la main experte qui pense. Un écrivain sans « main » est comme un ordinateur débranché, la mort habite ses phrases. On possède les manuscrits hallucinants du duc. On les *entend* s'écrire, s'accorder, comme des petites notes noires de musique. Là, tout n'est qu'ordre et beauté, vision, luxe, mouvement, terreur, volupté.

Personne, à l'époque, pas plus qu'aujourd'hui, ne semble se douter qu'une nouvelle raison est à l'œuvre, et va poursuivre souterrainement son cours. On la trouve partout dans les *Mémoires*, par exemple dans ce « crayon » du duc de Bourgogne :

« Il était né avec un naturel à faire trembler. Il était fougueux jusqu'à vouloir briser ses pendules lorsqu'elles sonnaient l'heure qui l'appelait à ce qu'il ne voulait pas, et jusqu'à s'emporter de la plus étrange manière contre la pluie, quand elle s'opposait à ce qu'il voulait faire. La résistance le mettait en fureur. D'ailleurs, un goût ardent le portait à tout ce qui est défendu au corps et à l'esprit. Sa raillerie était d'autant plus cruelle et plus spirituelle et plus salée, qu'il attrapait tous les ridicules avec justesse. Tout ce qui est plaisir, il l'aimait avec une passion violente, et tout cela avec plus d'orgueil et de hauteur qu'on n'en peut exprimer... »

Il est difficile de faire plus fou. Peu importe que ce Louis, descendant direct de Louis XIII et de Louis XIV, devienne pieux, deux ans avant sa mort, à l'âge de 30 ans. Il aurait dû régner (bonjour les pendules !), mais il a quand même eu le temps d'engendrer Louis XV, « le Bien-Aimé ». Quant à Saint-Simon, il pousse l'insolence et l'élégance jusqu'à s'excuser de son style :

« Je ne fus jamais un sujet académique, je n'ai pu me défaire d'écrire rapidement. »

MÉDIUM

Le 14 juillet 1870, *La Revue populaire de Paris* (drôle d'endroit) annonce la publication de *Poésies II*, d'un certain Isidore Ducasse, totalement inconnu. Le 2 septembre, c'est le désastre de Napoléon III, à Sedan, devant l'armée prussienne. Le 4 septembre, la Troisième République française est proclamée. Le 24 septembre, à 8 heures du matin, Isidore Ducasse est découvert mort, à 24 ans, dans sa chambre d'hôtel. Le 25, une absoute est célébrée par l'abbé Sabattier dans l'église Notre-Dame-de-Lorette. Comme d'habitude, malgré la dureté du siège de Paris par l'armée prussienne, des « lorettes » doivent traîner dans le quartier. Quelque temps après, l'abbé Sabattier est massacré par les Communards.

La sépulture d'Isidore Ducasse est introuvable, et, curieusement, les commentateurs n'ont rien à dire de cet abbé Sabattier. Voilà quand même une *absoute* pour le moins grandiose. Personne ne s'en préoccupe, pas plus d'ailleurs que de *Poésies*, chef-d'œuvre de la raison pure, et parfait manuel de contre-folie. Voici qui va très bien avec Saint-Simon : « Mettez une plume d'oie dans la main d'un moraliste qui soit écrivain de premier ordre. Il sera supérieur aux poètes. »

On n'a pas les manuscrits d'Isidore Ducasse, comte de Lautréamont, et c'est bien dommage. Ses lettres nous permettent de lire sa fine écriture qui a couvert, la nuit, tant de pages. Pour ses *Chants de Maldoror*, il n'a pas employé le pseudonyme de « duc » (déjà présent dans son nom, « Ducasse »). Quand il déclare qu'il ne veut pas passer pour un « poseur », et que, donc, il ne laissera pas des Mémoires, ce n'est pas à Saint-Simon qu'il pense, mais à Chateaubriand, cette « femmelette » ou « Grande-Tête-Molle » de son époque (avec beaucoup d'autres), ce « Mohican-Mélancolique », vedette de son temps, dont il a plagié des passages entiers. On n'imagine pas Saint-Simon en « femmelette » ni en « Mohican mélancolique ». On ne l'imagine pas non plus, comme Hugo, en train de faire tourner des tables.

Les plagiats, les détournements, les retournements : comment faisait Ducasse ? Recopiait-il, pour les transformer, des livres imprimés de Pascal, de La Bruyère ou de Vauvenargues ? Avait-il les volumes sous les yeux ? Il a habité à deux pas de la Bibliothèque nationale, mais il était déjà, depuis longtemps, une bibliothèque en action. Le résultat est tellement fabuleux qu'il n'attire même pas l'attention.

Quoi qu'il en soit, la présence médiumnique de Saint-Simon se fait sentir dans bien des formules. Voici, presque au hasard :

« Les gémissements poétiques de ce siècle ne sont que des sophismes. »

Ou :

« Les premiers principes doivent être hors de discussion. »

Sans parler de :

« Le génie garantit les facultés du cœur. »

Et de :

« Les grandes pensées viennent de la raison. »

Encore plus marqué :

« Le goût est la qualité fondamentale qui résume toutes les autres qualités. C'est le *nec plus ultra* de l'intelligence. Ce n'est que par lui seul que le génie est la santé suprême et l'équilibre de toutes les facultés. »

J'invite le soir, à *La Riviera,* ces deux disparus sans âge. Ils me parlent à voix basse, et leurs voix sont les plus vivantes qui soient. Je poursuis leur lecture chez moi, et, parfois, j'allume une bougie pour mieux les entendre. L'avenir révolutionnaire nous appartient : je leur dis ça.

« L'homme est si grand, que sa grandeur paraît surtout en ce qu'il ne veut pas se connaître misérable. Un arbre ne se connaît pas grand. C'est être grand que de se connaître grand. C'est être grand que de ne pas vouloir se connaître misérable. Sa grandeur réfute ces misères. Grandeur d'un roi. »

Loretta est enfin enceinte, elle est radieuse, elle plane, elle sourit. Ada multiplie les gentillesses avec moi, mais attention, pas de psychologie : massages et magie. La grâce innée de Lydia m'encourage. Quant au Vieux, il a compris qu'il n'avait plus qu'à mourir. Il est tombé malade, et ça a été vite fini. Je réentends sa voix : « C'est la vie. »

J'assiste à son enterrement, à San Trovaso, et à son amarrage sur la barque noire et fleurie des morts. Dans le bref sermon du curé, fatigué, il m'a semblé entendre une autre formule de Ducasse : « Dans la nouvelle science, chaque chose vient à son tour, telle est son excellence. » Et aussi : « Les phénomènes passent, je cherche les lois. »

L'enfant de Loretta, un garçon, sera baptisé, dans trois mois, à San Trovaso. Je serai là, bien sûr, avec mon paquet de dragées, et les meilleures intentions du monde. Une fois encore, pendant la cérémonie, je croirai entendre Ducasse :

« Je ne connais pas d'autre grâce que celle d'être né. Un esprit impartial la trouve complète. »

Le choix du prénom de ce nouvel habitant de la planète était prévisible. Ce sera le même que celui du Vieux : Luigi, Louis.

Venise, 30 septembre 126.

Dans les collections « L'Art et l'Écrivain »; « Livres d'art » et « Monographies »

LE PARADIS DE CÉZANNE, 1995.

LES SURPRISES DE FRAGONARD, 1987.

RODIN. DESSINS ÉROTIQUES, 1986.

LES PASSIONS DE FRANCIS BACON, 1996.

Dans la collection « À voix haute » (CD audio)

LA PAROLE DE RIMBAUD, 1999.

Aux Éditions Flammarion

PORTRAITS DE FEMMES, 2013.

Aux Éditions Grasset

VISION À NEW YORK, *entretiens avec David Hayman* (Figures, 1981 ; Médiations/Denoël ; Folio n° 3133).

Aux Éditions Plon

CARNET DE NUIT, *essai*, 1989 (Folio n° 4462).

LE CAVALIER DU LOUVRE : VIVANT DENON, 1747-1825, *essai*, 1995 (Folio n° 2938).

CASANOVA L'ADMIRABLE, *essai*, 1998 (Folio n° 3318).

MYSTÉRIEUX MOZART, *essai*, 2001 (Folio n° 3845).

DICTIONNAIRE AMOUREUX DE VENISE, 2004.

UN VRAI ROMAN, MÉMOIRES, 2007 (Folio n° 4874).

Aux Éditions Lattès

VENISE ÉTERNELLE, 1993.

Aux Éditions Desclée de Brouwer

LA DIVINE COMÉDIE, *entretiens avec Benoît Chantre*, 2000 (Folio n° 3747).

VERS LE PARADIS : DANTE AU COLLÈGE DES BERNARDINS, *essai*, 2010.

Aux Éditions Carnets Nord

GUERRES SECRÈTES, 2007 (Folio n° 4995).

Aux Éditions Robert Laffont

ILLUMINATIONS, *essai*, 2003 (Folio n° 4189).

Aux Éditions Calmann-Lévy

VOIR ÉCRIRE, *entretiens avec Christian de Portzamparc*, 2003 (Folio n° 4293).

Aux Éditions Verdier

LE SAINT-ÂNE, *essai*, 2004.

Aux Éditions Hermann

FLEURS. Le grand roman de l'érotisme floral, 2006.

Au Cherche Midi Éditeur

L'ÉVANGILE DE NIETZSCHE, *entretiens avec Vincent Roy*, 2006 (Folio n° 4804).

GRAND BEAU TEMPS, 2009.

Aux Éditions du Seuil

Romans

UNE CURIEUSE SOLITUDE, 1958 (Points-romans n° 185).

LE PARC, 1961 (Points-romans n° 28).

DRAME, 1965 (L'Imaginaire n° 227).

NOMBRES, 1968 (L'Imaginaire n° 425).

LOIS, 1972 (L'Imaginaire n° 431).

H, 1973 (L'Imaginaire n° 441).

PARADIS, 1981 (Points-romans n° 690).

Journal

L'ANNÉE DU TIGRE, 1999 (Points n° 705).

Essais

L'INTERMÉDIAIRE, 1963.

LOGIQUES, 1968.

L'ÉCRITURE ET L'EXPÉRIENCE DES LIMITES, 1968 (Points n° 24).

SUR LE MATÉRIALISME, 1971.

Aux Éditions de La Différence

DE KOONING, VITE, *essai*, 1988.

Aux Éditions Cercle d'Art

PICASSO LE HÉROS, *essai*, 1996.

Aux Éditions Mille et Une Nuits

UN AMOUR AMÉRICAIN, *nouvelle*, 1999.

Aux Éditions 1900

PHOTOS LICENCIEUSES DE LA BELLE ÉPOQUE, 1987.

Aux Éditions Stock

L'ŒIL DE PROUST. Les dessins de Marcel Proust, 2000.

Préfaces

Paul Morand, NEW YORK, *GF Flammarion.*

Madame de Sévigné, LETTRES, *Éditions Scala.*

FEMMES MYTHOLOGIES, en collaboration avec Erich Lessing, *Imprimerie Nationale.*

D.A.F. de Sade, ANNE-PROSPÈRE DE LAUNAY : L'AMOUR DE SADE, *Gallimard.*

Mirabeau, LE RIDEAU LEVÉ OU L'ÉDUCATION DE LAURE, *Jean-Claude Gawsewitch Éditeur.*

Willy Ronis, NUES, *Terre bleue.*

Composition CMB Graphic.
Achevé d'imprimer
sur Roto-Page
par l'Imprimerie Floch
à Mayenne, le 5 décembre 2013.
Dépôt légal : décembre 2013.
Numéro d'imprimeur : 85929.

ISBN 978-2-07-013760-2 / Imprimé en France.

241737